100 CORE PHRASES

スピーキング・ライティング攻略のための
TOEFL iBT®テスト必修フレーズ100

Self-study book
for mastering phrases
to use them efficiently
in speaking and writing tests

MP3
CD-ROM

トフルゼミナール
エクステンション講師
鈴木瑛子 著
Yoko Suzuki

テイエス企画

はじめに

　本書は、TOEFL iBT のスピーキングとライティングセクションのスコアアップを目指す方を対象にし、洗練された表現で論理的に意見を展開する力を養うことを目的としています。

　スピーキングでもライティングでもアウトプットセクションでは、文章内にカジュアルな表現が含まれる、文章に文脈がない、特有の文化的背景が説明なく挙げられている、といったことがあれば、スコアにつながりません。スコアアップのためには、文化背景の異なる採点者に対して、TOEFL テスト水準の英語表現で、いかに明確に主張を伝えられるかがカギとなるのです。

　そこで本書では、論理的に主張を展開するために必要な TOEFL テスト水準の英語表現を 100 のフレーズに集約し収録しました。これらの 100 のフレーズは、皆さんが知っていた表現とは、ほんの少し違うと感じるものが多いはずです。このほんの少しの違いが、採点者には、論理的主張につながる洗練された表現と認識されます。まずは、100 フレーズをしっかり覚えてください。その上で、自分の主張に沿った内容に置き換え、必要な時にその表現が 0.1 秒で脳から取り出せる状態になるまで練習しましょう。

　フレーズを習得するために、本書では、音声を使った練習や音読を推奨しています。正しい発音を聞きながら声に出して言う、スピードを変えて音読する、などの方法でフレーズを何度も繰り返し、確実に使いこなせるようにしましょう。

　最後に、本書を出版するにあたりご尽力いただきました出版部の関戸様、柳澤様、公私ともに支えてくださったたくさんの方々に、この場を借りて感謝申し上げます。今後も、自身の英語力向上とともに、英語学習者の一歩進んだ「攻め」の英語力獲得を支えるべく、尽力して参ります。

2016 年 3 月

鈴木瑛子（すずき ようこ）

目 次

- はじめに ……………………………………………… 3
- TOEFL テストとは …………………………………… 6
- 本書の構成と利用法 ………………………………… 11
- CD-ROM の収録内容 ………………………………… 16

Chapter 1	主張を述べる …………………………… 17
Chapter 2	主張に理由をつける …………………… 41
Chapter 3	反対の選択肢を否定する ……………… 85
Chapter 4	理由につながる事例を挙げる ………… 129
Chapter 5	アドバイス、予見、希望を伝える …… 153
Chapter 6	順序立てて伝える ……………………… 177
Chapter 7	Integrated Task 攻略フレーズ： Campus Situation ……………………… 201
Chapter 8	Integrated Task 攻略フレーズ： Academic ………………………………… 225

- フレーズリスト ……………………………………… 250

● TOEFL テストとは

　TOEFL（Test of English as a Foreign Language）は、英語を母国語としない人々を対象とするリーディング、リスニング、スピーキング、ライティングの4技能にわたる英語コミュニケーション能力を診断するテストで、アメリカをはじめとする英語圏の大学・大学院に留学する場合に不可欠な、特にアカデミックな場面で要求される総合的な英語の運用能力を、客観的なスコアで判定するものです。

　TOEFL はアメリカのテスト機関 ETS（Educational Testing Service）の開発・運営・実施により世界約165ヵ国で試験が行われており、そのスコアは世界150ヵ国9,000以上の短大や大学、その他の機関において総合的な英語力評価の目安として採用されています。特にアメリカ、カナダを中心とした英語圏の大学・大学院に留学する場合には、TOEFL のスコアの提出が必須と言えます。

　また、近年入学試験や単位認定に TOEFL を利用する日本の大学も増加しており、国内進学を希望する高校生など、留学希望者以外の受験者も増えています。

　日本では、現在 iBT（Internet-Based Test）方式の TOEFL テストが、全国各地のテストセンターで実施されています。

▶ TOEFL iBT の問題構成

セクション	問題数と形式	時間	配点
Reading	読解問題 3 〜 4 題	54 〜 72 分	0 〜 30
Listening	講義問題 3 〜 4 題	41 〜 57 分	0 〜 30
	会話問題 2 〜 3 題		
休憩		10 分	
Speaking	Independent Task 1 題	17 分	0 〜 30
	Integrated Task 3 題		
Writing	Integrated Task 1 題	50 分	0 〜 30
	Independent Task 1 題		
合計		約 3 時間	0 〜 120

▶ TOEFL iBT テストの問い合わせ先

● 受験の申し込み、テスト日・会場変更、受験のキャンセル、一般情報:

プロメトリック株式会社 RRC 予約センター
URL: http://www.prometric-jp.com
〒101-0062　東京都千代田区神田駿河台4-6
　　　　　　御茶ノ水ソラシティ　アカデミア 5F
TEL: 03-6204-9830（9:00～18:00、土日祝祭日は除く）

● 受験者のプロフィール情報の変更:

Educational Testing Service（ETS）
TOEFL Services ETS
URL: http://www.ets.org/toefl

TOEFL Services, Educational Testing Service
PO Box 6151 Princeton, NJ 08541-6151, USA
TEL: 1-609-771-7100（アメリカ、カナダ国外）
　　　 （8:00～19:45　U.S. Eastern Time、土日祝祭日は除く）
FAX: 1-610-290-8972
E-mail: toefl@ets.org

● 受験後のスコア、スコアレポートの発行・発送状況:

Educational Testing Service（ETS）
Customer Support Center in Japan
TEL: 0120-981-925（9:00～17:00、土日祝祭日は除く）
E-mail: TOEFLSupport4Japan@ets.org

▶ Speaking Section の試験内容

　スピーキングセクションには、話す能力だけを測定する Independent Task（独立問題）と、パッセージを読んで音声を聞いて（もしくは音声のみ聞いて）、それらの内容を総合し、要約して話すという、より実際に近い形のコミュニケーション能力を測る Integrated Task（総合問題）が導入されています。
　問題数は Independent Task 1 題（Question 1）と、Integrated Task 3 題（Questions 2 〜 4）の合計 4 題で、出題の形式と内容、順序は、次のようになっています。

● **Independent Task（Speaking）：1 題（準備時間 15 秒・解答時間 45 秒）**

Q1　身のまわりのテーマについて、具体的な理由・事例を挙げて自分個人の意見を述べる。

● **Integrated Task I（Reading ⇨ Listening ⇨ Speaking）：**
　　　　　　　　　　　　　　　　　　　　2 題（準備時間 30 秒・解答時間 60 秒）

Q2　大学生活に関する事柄をテーマとする文章（75 〜 100 語）を読む（45 秒）⇨同じテーマについて交わされる 2 人の話し手の会話（150 〜 180 語）を聞く（60 〜 80 秒）⇨文章と会話から得られた情報にもとづいて、文章に書かれた事柄に対する話し手の考えとその根拠を要約する。

Q3　一般教養レベルのアカデミックな内容の文章（75 〜 100 語）を読む（45 秒）⇨ 文中の定義や説明について例や反例を挙げるような、同じテーマに関するより詳しい講義（150 〜 220 語）を聞く（60 〜 90 秒）⇨文章と講義から得られた情報のポイントをまとめて、質問に答える。

● **Integrated Task II（Listening ⇨ Speaking）：**
　　　　　　　　　　　　　　　　　　　　1 題（準備時間 20 秒・解答時間 60 秒）

Q4　一般教養レベルのアカデミックな内容の講義（230 〜 280 語）の一部を聞く（90 〜 120 秒）⇨講義から得られた情報にもとづいて、質問に答える。

▶ Writing Section の試験内容

　ライティングセクションでは、パッセージとそれに関する講義の内容、もしくは自分の意見を小論（Essay）にまとめます。このセクションは、パッセージを読んで、音声を聞いた後に、それらの内容を総合し、要約して、文章をまとめる Integrated Task と、書く能力だけを測る Independent Task で構成されています。

　Integrated Task、Independent Task はどちらも 1 題ずつで、合計 2 題出題されます。答えは手書きではなく、すべてキーボードを使って入力します。入力した語数は画面右上に表示されます。

● Integrated Task（Reading ⇨ Listening ⇨ Speaking）：1 題（制限時間 20 分）

230 〜 300 語程度の英文を読む（3 分）⇨同じテーマの講義を聞く（2 分）⇨講義のポイントを要約し、リーディングで読んだ英文に書かれた内容との関係について文をまとめる。150 〜 225 語程度の小論の作成。

● Independent Task（Writing）：1 題（制限時間 30 分）

与えられたテーマについて、自分個人の意見を 300 語以上の英文でまとめる。問題解答の形式は、1）ある意見について賛成あるいは反対の意見を述べる（Agree or Disagree）、2）対立する 2 つの事柄のうちから支持するものを選び、その理由を挙げて意見を述べる（Choose a side）、3）ある事柄について長所と短所を述べる（Advantage and Disadvantage）、などのパターンがある。

●本書の構成と利用法

　本書は、TOEFLテストのスピーキングおよびライティングセクションにおけるスコアアップを目的に、主張を展開するためのフレーズやIntegrated Taskに答えるためのフレーズを8つのChapterで習得します。厳選した100のフレーズを、音声を使った練習や音読練習を交えて学習することにより、アウトプットの力を効率的に伸ばすことができます。

▶基本学習と音声を使った練習

　基本学習は、「フレーズマスター」と「練習問題（応用問題）」で構成されています。音声を使った練習は、付属CD-ROMに収録されている3種の音声で行います。

〈基本学習1〉フレーズマスター

　スピーキングやライティングセクションのスコアアップにつながる100のフレーズを学習します。フレーズの意味やポイントを理解し、収録されている音声を活用して、スピーキングで使えるフレーズになるまで口頭練習します。

〈基本学習2〉練習問題（応用問題）

　「フレーズマスター」の学習後、問題に答えながら、フレーズを自分で作り、アウトプットする力を伸ばします。フレーズが自分の言葉になるまで英文を何度も繰り返し音読し、定着を目指します。

音声を使ったその他の練習

　「フレーズマスター」の学習中や学習後に、リピート練習用の音声で例文をリピートし、復習しましょう。リスニング練習用の音声では、フレーズが定着しているかを確認しましょう。

〈基本学習1〉フレーズマスターの流れ（音声：[master]フォルダ）

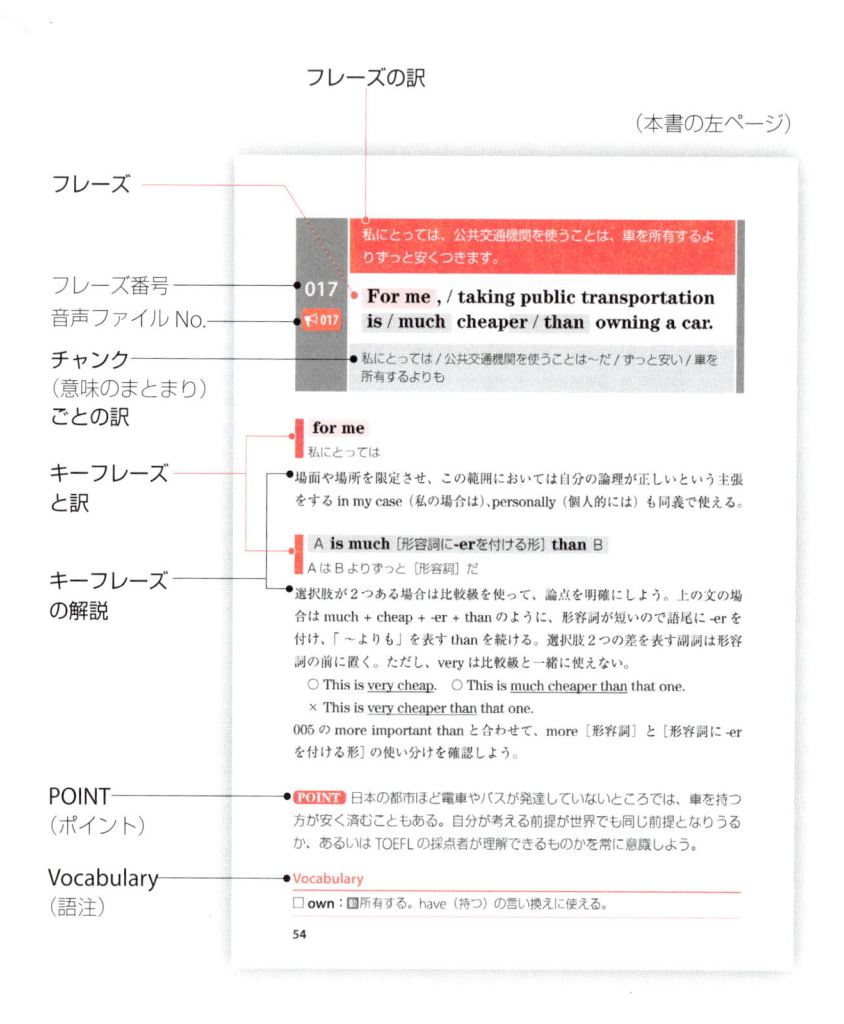

（本書の左ページ）

フレーズの訳

フレーズ ──

フレーズ番号 ──
音声ファイルNo. ──

チャンク ──
（意味のまとまり）
ごとの訳

キーフレーズ ──
と訳

キーフレーズ ──
の解説

POINT ──
（ポイント）

Vocabulary ──
（語注）

私にとっては、公共交通機関を使うことは、車を所有するよりずっと安くつきます。

017

◀017

● **For me , / taking public transportation is / much cheaper / than owning a car.**

● 私にとっては / 公共交通機関を使うことは〜だ / ずっと安い / 車を所有するよりも

for me
私にとっては

●場面や場所を限定させ、この範囲においては自分の論理が正しいという主張をする in my case（私の場合は）、personally（個人的には）も同義で使える。

A is much [形容詞に-erを付ける形] than B
AはBよりずっと[形容詞]だ

●選択肢が2つある場合は比較級を使って、論点を明確にしよう。上の文の場合は much + cheap + -er + than のように、形容詞が短いので語尾に -er を付け、「〜よりも」を表す than を続ける。選択肢2つの差を表す副詞は形容詞の前に置く。ただし、very は比較級と一緒に使えない。
　〇 This is very cheap.　〇 This is much cheaper than that one.
　× This is very cheaper than that one.
005 の more important than と合わせて、more [形容詞] と [形容詞に -er を付ける形] の使い分けを確認しよう。

● **POINT** 日本の都市ほど電車やバスが発達していないところでは、車を持つ方が安く済むこともある。自分が考える前提が世界でも同じ前提となりうるか、あるいは TOEFL の採点者が理解できるものかを常に意識しよう。

● **Vocabulary**
□ **own**：動所有する。have（持つ）の言い換えに使える。

54

本書の左ページとCD-ROMに収録されている音声で学習します。音声を活用して、スピーキングとライティングで使えるフレーズになるまで練習しましょう。

1) まず、「キーフレーズと訳」「キーフレーズの解説」を読み、文法や用法を確認しましょう。

2) 次に、「フレーズ」を読みます。「チャンクごとの訳」や「フレーズの訳」、ページ下の「Vocabulary」で、意味を確認し、フレーズを頭に入れましょう。

　＊「POINT」では、TOEFLテストを受験の際に留意すべきことなど、注意点を示しています。

3) CD-ROMに収録されている音声を使って、「フレーズ」をマスターしましょう。音声は [master] フォルダ内に収録されています。該当する「音声ファイルNo.」の音声で練習します。

　① 最初に「フレーズの訳」の音声が流れます。ポーズの間に「フレーズ」を言ってみましょう。

　②「フレーズ」が流れた後に、もう一度「フレーズ」が流れます。自分が言ったフレーズが正しかったか確認しましょう。

　③ 言えなかったフレーズは、①②を何度か繰り返し、言えるようになるまで練習しましょう。

　＊この音声を使って、ディクテーション練習をしてもいいでしょう。

〈基本学習2〉練習問題（応用問題）の流れ

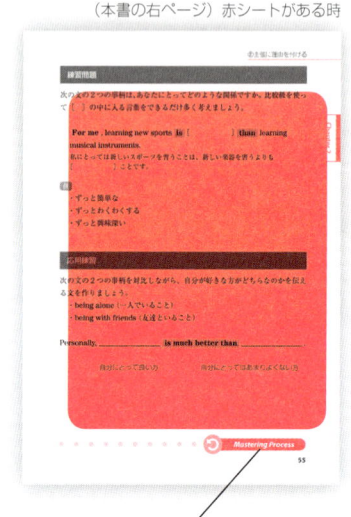

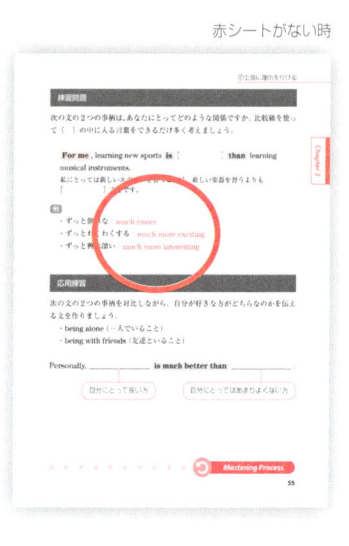

（本書の右ページ）赤シートがある時　　　　　　　　　赤シートがない時

Mastering Process

　本書の右ページの問題を解き、フレーズを作りながら、自分の言葉として使えるようにしましょう。

1）まず、付属の赤シートで右ページを隠して、答えましょう。[　　]の中に入る言葉を考える問題では、自分の考え（意見）を[　　]の中に入れ、声に出して言ってみましょう。思い浮かばない時は、[例]の日本語をヒントに考えましょう。日本語の文の意味になるように[　　]の中に言葉を入れる問題では和文英訳をします。「応用問題」は自分の意見でフレーズを作る練習です。

2）次に、赤シートを外して、例や答え（赤字部分）を確認しましょう。

3）最後に「Mastering Process」でフレーズを定着させます。[　　]の中に例や答え（赤字部分）を入れながら、それぞれ10回ずつ音読しましょう。

＊音読の際には、感情を込めて音読する、読むスピードを変えて音読するなど、読み方を変えることで、あらゆる場面で使うことができるフレーズになります。

音声を使った練習(音声:[repeat]フォルダ・[listening]フォルダ)

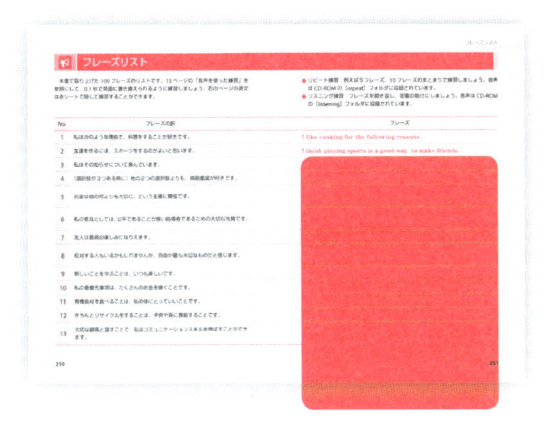

巻末には、「フレーズリスト」が掲載されています(250ページ)。赤シートで英文を隠してフレーズの復習や確認ができます。

●リピート練習([repeat]フォルダ)

「フレーズマスター」の学習中や学習後に、フレーズがスピーキングでスムーズに使えるように、例えば5フレーズ、10フレーズのまとまりで「リピート練習」をして練習しましょう。音声はCD-ROMの[repeat]フォルダに収録されています。

リピート練習用の音声は、フレーズごとに次のような順で流れます。

① 「フレーズ」が流れます。
② ポーズの間で、「フレーズ」をリピートしましょう。
③ ポーズの後で「フレーズ」が2回流れます。シャドーイング(音声を追いながら言ってみる)などをしながら定着を目指しましょう。

●リスニング練習([listening]フォルダ)

通学時や通勤時、スキマ時間には、「リスニング練習」で「フレーズ」を聞き返し、定着の助けにしましょう。音声はCD-ROMの[listening]フォルダに収録されています。リスニング練習用の音声は、各フレーズ1回ずつ流れます。

CD-ROM の収録内容

本書添付の CD-ROM には、次の音声が収録されています。
本書中、該当箇所には音声ファイル No. を表示しています。

フォルダ名	音声ファイル No.	収録内容
master	001 〜 102	フレーズマスター／スピーキングクリニック
repeat	R001 〜 R100	リピート練習
listening	L001 〜 L100	リスニング練習

● 音声の利用について

CD-ROM に収録されている音声ファイルは MP3 形式です。一般的な CD プレーヤーでの再生はできませんので、「パソコン上で再生」、「パソコンに取り込んだ音声を MP3 プレーヤーで再生」のいずれかの方法でご利用ください。

● パソコンでの操作方法

・CD-ROM をパソコンに挿入します。

Windows

・自動再生を使用していない場合、スタートメニューから「Windows Media Player」などのアプリを選びます。
・パソコン上に作成した新規フォルダ内に、ファイルをコピーしておきます。
  Windows media player：「PC」内の「ミュージック」に、コピーしたフォルダを保存しておきます。再生する際は「ミュージック」内に保存したフォルダを選択し、右クリックして「Windows Media Player で再生する」を選びます。
  iTunes：「編集」＞「設定」＞「詳細」から、「ライブラリへの追加時にファイルを [iTunes Media] フォルダーにコピーする」のチェックボックスがオンになっていることを確認します。「ファイル」メニュー＞「フォルダーをライブラリに追加」からフォルダを選択し、「開く」をクリックします。

Mac

・デスクトップ上の CD-ROM アイコンをダブルクリックして、ファイルを表示させます。
・パソコン上に作成した新規フォルダ内に、ファイルをコピーしておきます。
  iTunes：「iTunes」メニュー＞「環境設定」＞「詳細」から、「ライブラリへの追加時にファイルを "iTunes Media（iTunes Music）" フォルダにコピーする」のチェックボックスがオンになっていることを確認します。「ファイル」メニュー＞「ライブラリに追加」からフォルダを選択し、「開く」をクリックします。

Chapter 1

主張を述べる

アメリカの大学・大学院では、Participation（授業、議論への参加度）が成績評価基準の1つになるほど、自分の意見、主張を述べることが重要視されていますが、TOEFLテストのスピーキングやライティングのセクションでも、主張を述べる文が核となります。本章で、明確に主張を示すフレーズを学習し、自分の意見を確実に伝えられるようにしましょう。

001

私は次のような理由で、料理をすることが好きです。

I like / cooking / **for** / the following reasons.

私は好きだ / 料理をすることが / ～（の理由）で / 以下に続く理由

I like ～
私は～が好きだ

「～」には自分が好きな物、事、動作を入れるが、必ず名詞かそれに準じる形にするのがポイント。ここで動詞 cook を入れるのは文法的に誤り。「料理をすること」とするために、動詞に -ing を付けて動名詞 cooking とする。

for ～
～（の理由）で／～によって

理由、根拠を示す前置詞。上の文のように for the following reasons を使うことで、これから詳しい説明が展開されることがわかる。理由が 1 つの時は、for the following reason と単数形にする。ほぼ同義に原因・理由を表す because of があり、because of the following reasons と言い換えることもできる。

Vocabulary

☐ **following**：形 後に続く、次の。動詞は follow（ついていく）。会話文でよく使われる I'm following. は「私は（あなたの話に）ついていっています。」の意味。
☐ **reason**：名 理由

①主張を述べる

練習問題

次の質問に答える英文を完成させましょう。日本語の文の意味になるように［　］の中にアクティビティと理由2つを入れましょう。

1. What is your favorite weekend activity? Explain why you like it.
   好きな週末のアクティビティは何ですか。その理由も答えなさい。

   私は［友達の家を訪ねること］が以下の理由で好きです。
   理由1：［友達を訪ねるのは楽しいです。］
   理由2：［友達と話すこと］は最高の娯楽になりえます。

   I like ［visiting a friend's house］ **for** the following reasons.
   Reason 1: [Visiting friends is fun.]
   Reason 2: [Talking to friends] can be the best form of entertainment.

2. What do you do to relax? Explain why you do it.
   リラックスするために何をしますか。その理由も答えなさい。

   私は［音楽を聴くこと］が以下の理由で好きです。
   理由1：［ゆっくりとした音楽を聴く］とリラックスします。
   理由2：［音楽］には癒しの力があります。

   I like ［listening to music］ **for** the following reasons.
   Reason 1: [Listening to slow music] makes me feel relaxed.
   Reason 2: [Music] has a healing power.

Mastering Process

002

友達を作るには、スポーツをするのが良いと思います。

I think / **playing sports is** / **a good way to** / **make friends.**

〜と思う / スポーツをすることは〜だ / 〜するのに良い方法 / 友達を作る

I think 〜
〜と思う

自分の意見を述べる時に使う基本的な表現。解答の中でI think 〜ばかり何度も使っていないかをセルフチェックし、他の表現（in my opinion, やI believe 〜など）も使えるようにしておこう。特にライティングで同じ表現を何度も使うと主張に自信がない印象を持たれるので、多用は避けること。

a good way to 〜
〜するのに良い方法

上の文のように［動詞(make) + 目的語の名詞(friends)］と一緒に使うことで、I think playing sports is good. という文に具体性を持たせることができる。

Vocabulary

☐ **playing sports**：スポーツをすること。中高時代の部活に関する話題で、例として使うことが多い。使う動詞と合わせて確認しておこう。playとの組み合わせで使われるのは主に球技（golf、basketball、volleyball、tennis）。ボクシングは do boxing、剣道などの武道は practice kendo となる。

練習問題

次の文の a good way to の後の目的を達成するためには、何をすればいいでしょうか。[ ]の中に入る言葉をできるだけ多く考えましょう。

1. I think [   ] is **a good way to** lose weight.
体重を減らすには [   ] といいと思います。

例

- ウォーキングする：walking　・走る：running
- ジョギングする：jogging　・泳ぐ：swimming
- スポーツをする：playing sports
- 食べる量を減らす：eating less
- 定期的に運動をする：getting regular exercise

2. I think [   ] is **a good way to** memorize English words.
英単語を覚えるには [   ] といいと思います。

例

- 何回も1つの単語を書く：writing a word many times
- 何回も1つの単語を口に出す：saying a word many times
- ごろ合わせを作る：making rhymes

3. I think [   ] is **a good way to** relax my body.
体をリラックスさせるには [   ] といいと思います。

例

- コップ1杯のあたたかい牛乳を飲む：
  drinking a glass of warm milk
- 熱いシャワーを浴びる：taking a hot shower
- 家にこもって何もしない：staying at home and doing nothing

Mastering Process

003

私はその知らせについて喜んでいます。

I am happy / about / the news.

私は幸せだ / 〜に関して / その知らせ

［人］be ［感情を表す形容詞］

［人］は［感情を表す形容詞］だ

主語が後に続く名詞をどのように捉えているのかを［感情を表す形容詞］happy、sad、angry などで伝える。

［人］be ［感情を表す形容詞］about/with/to 〜

［人］は〜について［感情を表す形容詞］だ

形容詞の後ろに続く前置詞は about 、with がある。後の名詞が主語との関わりが浅ければ about、深ければ with と考えよう。今知った事柄についてどう思うかを表す about に対して、with は自分が主体的に関わった結果についてどう思うかを表す。

　I am happy about the news.
　（今さっき聞いた）その知らせについて、私は喜んでいます。

　I am happy with my new job.　私の新しい仕事に関して、私は喜んでいます。
　I am happy about your new job.
　あなたの新しい仕事に関し（深くは知らないがうまくいっているようなので）私は喜んでいます。

また、to の後には動詞が続き、不定詞を作ると、「［動詞］することが［感情］だ」の意味になる。会話文の出題では、主語が省略され Happy to help you out.（あなたのお役に立てて私は嬉しいです。）となることもある。

Vocabulary

□ **news**：🈂 ニュース、知らせ。報道されるような大きなニュースでなくとも、身の回りで起こったことで伝達されるもの、かつ受け手（聞き手）にとって新しい情報はすべて news である。

練習問題

次の日本語の文の意味になるように［　］の中に言葉を入れ、英文を完成させましょう。

1. 私は［今の大学のカリキュラム］で満足です。

I **am** happy **with** [the university's current curriculum].

※幸せというよりも、「変える必要は感じていない。今のままで満足だ」というニュアンスになる。

2. その男子学生は［学費の値上げの知らせ］について快く思っていません。
＊授業料：tuition

The male student **is** not happy **about** [the announcement of a tuition increase].

※まず第三者があることに対してネガティブな印象を持っているという情報は is not happy about で表せるようになろう。次に not happy の中でも果たしてどのような心理状態なのか、angry（怒っている）、upset（うろたえている）、sad（悲しい）、disappointed（がっかりしている）などといった詳細な情報を含められるようにしよう。disappoint（がっかりさせる）は受け身形で be disappointed with ～と、後ろに前置詞 with を置いて「がっかりさせられる＝［人］ががっかりしている状態」を表す。

3. その女子学生は［食堂のメニューの変更］について怒っています。

The female student **is** angry **about** [the cafeteria's menu change].

4. 私は普段［ほとんどのこと］にこだわりませんが、とりわけこの出来事には［うろたえ］ました。

I **am** usually OK **with** [most things], but this particular event made me [upset].

Mastering Process

004

(選択肢が3つある時に)
他の2つの選択肢よりも、映画鑑賞が好きです。

I prefer / seeing movies / over / the other two choices.

私は〜の方が好きだ / 映画を見ること / 〜を越えて / 残りの2つの選択肢

prefer A over B
BよりA(の方)が好きだ

比較してどちらを好むかを表現する。同義に、I prefer A to B、I like A more than B がある。

the other 〜
他の〜／残りの

選んだものを除いた残りのもの。上の文のように、他の選択肢が限定されている場合、必ず other の前に the を付けること。TOEFL テストでは、質問に対して選択肢が3つ出され、自分の考えに最も当てはまるものを選ばせ、説明を求めるパターンがある。提示された選択肢が3つの場合は、上の文のように over the other two choices、選択肢が2つでどちらかを選ぶタイプであれば、over the other choice(もう一方の選択肢)とし choice は単数形にする。

Vocabulary

☐ **see movies**：映画を見る。「見る」を表す動詞を使い分けよう。一般に映画館で映画を見る時には see movies、テレビやビデオで見る時は watch movies を使う。また、注意してしっかり見る時は look を使い、look at the screen(画面を見る)。

①主張を述べる

練習問題

次の質問に答える英文を完成させましょう。日本語の文の意味になるように[ ]の中に選択肢と理由2つを入れましょう。

1. Out of the following three reading items, which do you like most? Explain why you like it.
    ・newspapers ・novels ・comic books

    次の3つの読み物の中で、最も好きなものは何ですか。その理由も答えなさい。
    ・新聞 ・小説 ・マンガ

    ［マンガ］が最も好きです。
    理由1：［それは楽しいです。］
    理由2：［簡単に読めます。］

    I **prefer** [comic books] **over the other** two choices.
    Reason 1: [They are fun.]
    Reason 2: [They are easy to read.]

2. Out of the following three transportation options, which do you like most? Explain why you like it.
    ・bicycles ・cars ・trains

    次の3つの交通手段の中で、最も好きなものは何ですか。その理由も答えなさい。
    ・自転車 ・車 ・電車

    ［自転車］が最も好きです。
    理由1：［それは無料です。］
    理由2：［運動になります。］

    I **prefer** [bicycles] **over the other** two choices.
    Reason 1: [They are free.]
    Reason 2: [I can get good exercise.]

Mastering Process

005

お金は他の何よりも大切だ、という主張に賛成です。

I agree with / the statement that / money is more important than / anything else.

私は～に賛成する / ～という主張に / お金は～よりも大切だ / 他のどのような事

agree with ～
～に賛成する

TOEFL テストのライティングセクションでは、必ず賛成か反対か意見を問われる問題が出る。迷う時は理由付けがしやすい賛成を選ぼう。

　disagree with ～ ＝ ～に反対する
　＝ (do / does) not agree with ～ ＝ ～に賛成しない

どちらの言い回しも使えるようにしておこう。

A is more [形容詞] than B
AはBよりも [形容詞] だ

比較級を使い、構文力をアピールしよう。形容詞が長い時（第二音節以上）は、more + 形容詞、短い時は形容詞に -er を付ける形になる。ただし第二音節以上の単語でも -er を付ける場合など例外も多い。

Vocabulary

□ **statement**：图声明、正式な発表。TOEFL テストで賛成、反対を問われるタイプの問題で出される「意見」は statement あるいは opinion。

①主張を述べる

練習問題

次の日本語の文の意味になるように［　］の中に言葉を入れ、英文を完成させましょう。

1. 友情は［他の何よりも大切だという］主張に賛成です。
I agree with the statement that friendship [is more important than anything else].

2. 正直さが［他の何よりも大切だという］主張［に賛成ではありません］。
[I do not agree with] the statement that honesty [is more important than anything else].

3. その女子学生は、ボランティアが［他のどのような活動よりも大切であるという］意見に賛成です。
The female student agrees with the opinion that volunteering [is more important than any other activity].

4. ［その男子学生は、］校内新聞で取り上げられた意見［に賛成していません］。
[The male student does not agree with] the opinion presented in the school newspaper.

5. ［その教授は、］リーディングの中で提示されたお酒の消費に関わる良い影響［について賛成していません］。
[The professor does not agree with] the reading's suggestion that alcohol consumption is associated with positive effects.

Mastering Process

006

> 私の意見としては、公平であることが良い指導者であるための大切な性質です。

In my opinion, / fairness is / the most important characteristic / for a good leader.

私の意見では / 公平性は〜だ / 最も大切な性質 / 良い指導者のための

in my opinion,
私の意見では、

個人的な意見を述べる時に使う前置き。I think（私は思う）、from my point of view（私から見ると）は同義。

the most ［形容詞］
最も［形容詞］

more［形容詞］が「もう一方よりも〜だ」という比較級を表すのに対し、the most［形容詞］は「最も〜だ」という最上級を表す。more と同様に、音節の長さによって the most［形容詞］、the［形容詞に -est を付ける形］の2つがある。

POINT 特定の立場・役職を務めるために適した性質を問う設問は TOEFL テストで頻出。good leader（良き指導者）の他に、good neighbor（良き隣人）、good friend（良き友人）、good teacher（良い先生）、good parent（良い親）などを覚えておこう。この後に挙げる具体例、詳細などが、文中の名詞（上の文では fairness）とリンクしているかを常に意識しよう。

Vocabulary

□ **opinion**：名意見　□ **fairness**：名公平性。形容詞に -ness を付けた形で名詞を表す。open（開く）→ openness（［心を］開いていること）、friendly（友好的な）→ friendliness（友好的であること）

練習問題

次の日本語の文の意味になるように [ ] の中に言葉を入れ、英文を完成させましょう。

1. [私の意見としては、] 富士山は [日本で最も美しい山] です。
   [In my opinion,] Mt. Fuji is [the most beautiful mountain in Japan].

2. [私の意見としては、] 春は [1年の中で最も喜ばしい季節] です。
   [In my opinion,] spring is [the most pleasant season of the year].

3. [私の意見としては、] 生物学は [最も難しい科目] です。
   [In my opinion,] biology is [the most difficult subject].

4. [私の意見としては、] 日本料理は [最も健康的な料理] です。
   [In my opinion,] Japanese cuisine is [the healthiest cuisine].

応用練習

次の 1. ～ 4. について、あなたの意見を伝える文を作りましょう。

1. あなたが日本で最も美しいと考える山

2. あなたが1年の中で最も喜ばしいと考える季節

3. あなたが最も難しいと考える科目

4. あなたが最も健康的と考える食べ物

Mastering Process

007

友人は最高の楽しみになりえます。

Friends / can be / the best form of entertainment.

友達は / 〜になりうる / 最高の娯楽の形

can be 〜
〜になりうる

助動詞を使うと、主張の強さの程度を表すことができる。A is B（A は B だ）と断定する文に対して、A can be B（A は B になりうる）は「確実にそうかはわからないが」という含みを持たせた文になる。

the best 〜
最高の〜

good（良い）の最上級が best（最高の、最上の）、比較級は better。The professor is the best.（あの教授、最高。）のように、the best の後に続くものがない場合も意味は同じく「最高」となる。good の反対語 bad（悪い）の比較級 worse、最上級 worst もおさえておこう。これらの基本的な文法事項の理解をアウトプットにも反映させることが得点を伸ばすカギとなる。

Vocabulary

☐ **entertainment**：名娯楽、楽しみ。動詞 entertain。「楽しませる」は他動詞。「私達は楽しむことができる」は We can be entertained by 〜（= We can enjoy 〜）と受け身にする。

①主張を述べる

練習問題

〈**1**〉 あなたにとって最高の娯楽は何ですか。[　]の中に入る言葉をできるだけ多く考えましょう。

[　　　] **can be** **the best** form of entertainment.
[　　　] は最高の娯楽になりえます。

例

[名詞]・本：Books　・音楽：Music　・朝の1杯のコーヒー：A cup of coffee in the morning　・美術館：Museums　・水族館：Aquariums

[動作]・踊ること：Dancing　・食べること：Eating　・料理すること：Cooking　・運転すること：Driving　・釣りをすること：Fishing

[具体的な行動]・映画を見ること：Seeing movies
　　　　　　　・友達と出かけること：Going out with friends

〈**2**〉 次の日本語の文の意味になるように、英訳しましょう。

1. [歴史的な場所] は週末に訪ねるには最高の場所になりえます。
[Historical spots] **can be** **the best** places to visit on weekends.

2. [ルームメイトと話すこと] がその問題を解決するための最善の方法の1つになりえます。
[Talking to your roommate] **can be** one of **the best** ways to solve the problem.

3. [地元の人達と触れ合うこと] が異文化を理解するための最善の方法の1つになりえます。
[Interacting with local people] **can be** one of **the best** ways to understand a different culture.

Mastering Process

> 反対する人もいるかもしれませんが、自由が最も大切なものだと信じます。

008

Though / some people may disagree, / **I believe** / freedom is the most important thing.

~(だ)けれども / 何人かの人は / 反対するかもしれない / 私は信じる / 自由が最も大切なものだ

though ~
~(だ)けれども

自分の考えとは異なる意見にも一定の理解を示す時に使う。上の文では「反対する人もいるかもしれないけれども(自分は違う意見だ)」となる。

I believe ~
~だと信じる

I think の代わりに使えるフレーズ。I <u>strongly</u> believe(私は強く信じる)、I <u>somewhat</u> believe(私はある程度信じる)のように、I と believe の間に副詞を入れることで、どの程度強く信じているかを表すことができる。

POINT 自国の文化や慣習について問うものは TOEFL テストの頻出トピック。例えば祝日について問う問題では、自分の英語力で説明ができそうな祝日が選べているか。日本の歴史や文化に深く関わる祝日、または特に決まった祝い方がない記念日を選ぶと、なぜその祝日が大切なのか、どのようにして祝うのか、などの付加情報を加えにくくなる。違う文化圏の人に英語で説明するのが難しい祝日は、みどりの日、終戦記念日、天皇誕生日、建国記念日など。反対にある程度英語で説明を加えやすいものには Marine Day(海の日)、Coming-of-Age Day(成人の日)、Sports Day(体育の日)などがある。

①主張を述べる

練習問題

次の質問に答える英文を完成させましょう。日本語の文の意味になるように[ ]の中に言葉を入れましょう。

1. What is the most important national holiday in your country?
あなたの国で最も重要な祝日は何ですか。

反対する人もいるかもしれませんが、私の国日本では[成人の日]が最も重要な祝日だと思います。
Though some people may disagree, **I believe** [Coming-of-Age Day] is the most important national holiday in my country, Japan.

2. Why do people celebrate that day?
なぜ人々はその日をお祝いするのですか。

[日本では20歳が大人としての最初の年だ]と人々は考えています。
In Japan, people believe that [the age of 20 is one's first year as an adult].

3. How do people celebrate the day?
人々はどのようにその日をお祝いしますか。

その年の4月1日までに20歳の誕生日を迎える若者が[式典を行うために]市民会館に集まります。その中には[日本の伝統的な衣装、キモノを着る]人がいます。
Young people who turn twenty years old by April 1st of that year get together in a community center [to have a ceremony]. Some of them [wear kimono, the traditional Japanese dress].

※設問で national holiday について問われている時に、Golden Week や summer break と解答するのは不正解。

Mastering Process

009

新しいことを学ぶことは、いつも楽しいです。

I always enjoy / learning new things.

私はいつも楽しむ / 新しいことを学ぶことを

always
いつも／常に

頻度を表す副詞は動詞の前に置く。頻度を表す副詞には、他に usually（ふだんは、たいていは）、often（よく）、sometimes（時々）などがある。

enjoy 〜
〜を楽しむ

I enjoy 〜（〜を楽しむ）は I like 〜（〜が好きだ）と同じ意味ではないが、言い換えには使えるフレーズ。enjoy の後ろには名詞を置く。動詞の場合は必ず［動名詞（動詞の -ing の形）］にするルールを覚えておこう。to 不定詞は使わないことに注意。

Vocabulary

☐ **learn**：動学ぶ、習得する。study とのニュアンスの違いは、study が「勉強する」という行為そのものが重視されるのに比べ、learn は「学んで身につける」という結果が重視される。

練習問題

次の質問に答える英文を完成させましょう。日本語の文の意味になるように [　] の中に少しずつ情報を加えましょう。

1. 何をすることが楽しいですか。

いつも［① 読む］ことを楽しみます。
I **always enjoy** [① reading].

2. どのようなものを①することが楽しいですか。

いつも［② 小説を ① 読む］ことを楽しみます。
I **always enjoy** [① reading ② novels].

3. どのような場面で②を①しますか。

いつも［③ 通勤・通学する時に ② 小説を ① 読む］ことを楽しみます。
I **always enjoy** [① reading ② novels ③ on my commute].

4. ③が起こる時の情報を付け加えましょう。

いつも［④ 会社への ③ 通勤の時に ② 小説を ① 読む］ことを楽しみます。
I **always enjoy** [① reading ② novels ③ on my commute ④ to the office].

5. ④について、自分がどのように感じているかを表す文を加えましょう。

いつも［④ 会社への③ 通勤の時に② 小説を① 読む］ことを楽しみます。それは［⑤ 私にとって最高の娯楽になりうると信じています］。
I **always enjoy** [① reading ② novels ③ on my commute ④ to the office], and [⑤ I believe it may prove to be the best form of entertainment for me].

Mastering Process

010

私の最優先事項は、たくさんのお金を稼ぐことです。

My first priority is / earning **a lot of** money.

私の第一の優先事項は〜だ / たくさんのお金を稼ぐこと

my first priority is 〜
私の第一の優先事項は〜だ

my first priority（私の第一の優先事項）は、the most important thing for me（私にとって最も大切なもの）の言い換えで使える。日本語でもカタカナ語で使う priority（プライオリティ）という言葉は、難易度が高いボキャブラリーなので、どんどん解答で使っていこう。

a lot of 〜
たくさんの〜

肯定文で「たくさんの〜・多くの〜」を表現する時には a lot of 〜を、否定文では much 〜を使う。

 I make <u>a lot of</u> money.（たくさんのお金を稼ぐ。）
 I do not make <u>much</u> money.（たくさんのお金は稼がない。）

Vocabulary

☐ **earn**：動 （働いて）稼ぐ。earn one's living は「生計を立てる」の意味。

① 主張を述べる

練習問題

次の質問に答えましょう。[　]の中に入る言葉を考えましょう。

> Would you like to have a job with a higher salary but busier schedule or a lower salary with a more relaxed schedule?
>
> 高い給料で忙しい仕事、給料は低いがのんびりした仕事、あなたはどちらがいいですか。

1. キーフレーズをそのまま使う場合、設問で提示された2つの選択肢のうち、どちらを選ぶと一貫性が取れた解答になるかを考え、そのためには犠牲を払ってもよいという文を作りましょう。

   My first priority is earning **a lot of** money; therefore, I like to have a job with a [　　　　] even though [　　　　].

   ＊たとえ〜としても：even though 〜

   私の最優先事項は多くのお金を稼ぐことです。ですから、たとえ [　　　　] としても [　　　　] 仕事に就きたいです。

   例
   ・給料の高い：higher salary　・多忙になる：my schedule will be busier

2. キーフレーズ my first priority is の後に述べる優先事項を変え、反対意見をサポートする文を作ってみましょう。

   My first priority is [　　　　]; therefore, I like to have a job with a [　　　　] even though [　　　　].

   私の最優先事項は [　　　　] です。ですから、たとえ [　　　　] ても [　　　　] 仕事に就きたいです。

   例
   ・家族と過ごす時間を持つこと：spending time with my family
   ・のんびりした：relaxed schedule　・給料は低く：the salary is low

   Mastering Process

お金を示す言葉は money だけじゃない

お金は英語では一般に money と言いますが、TOEFL テストで重要視されるのは、「はっきりとした使い道を示す」お金に関する言葉です。

次の表の言葉を必ず覚えましょう。特に tuition はリスニングセクション、スピーキングセクションのリスニングでよく出てきますし、留学してからも必要になる単語です。

授業料	tuition
乗り物の運賃	fare　例：バス代 bus fare
〜料金	fee　例：駐車料金 parking fee
〜費（費用）	expense　例：transportation expense 交通費
〜費（原価）	cost　例：production cost 製作費
値段	price　例：the price of the item 品物の値段

支払い方法に関する単語には、cash（現金）、charge/credit（クレジットカード）、check（小切手）、debit（デビット＝口座引き落とし）などがあります。小切手は日本ではあまり普及していませんが、米国では一般に使われています。キャンパス内での会話の問題で出てきた時にわかるようにしておきましょう。また、大型スーパーでレジの前に「CASH ONLY」と書かれたサインがあれば、そのレーンでは現金しか使えません。列に並び、いざ自分の順番が来た時に気まずい思いをしなくて済むよう、よく確認してから並ぶようにしましょう。

benefit（広範囲での利益：人脈、経験を含み「得られる物」、福利厚生：給料以外に会社から従業員に与えられるもの）、profit（金銭的な利益、収益）などの、利益を表す単語も使い分けられるようにしておきましょう。

買い物をする時に使う言葉も確認しておきましょう。meal coupon（ミールクーポン：食事券）、prepaid（プリペイド：前払いの）、sale（セール：安売りセール・販売）。sale には「販売」「販売数」という意味もあるので覚えておくこと。アメリカでは「〜%OFF」という sale とともに、Buy 1, Get 1 Free（1つ買うともう1

つ無料でついてくる）という表現もよく使われます。

最後に、アメリカに留学した時に役立つ節約法を紹介しておきます。

アメリカでは、日用品、美容用品、保存食品（生鮮でない食料品）は、割引クーポン券を使って安く買うことができます。クーポン券を手に入れる方法は主に2つ。顧客を増やすためにお店が出すクーポンはレジでの会計時にレシートと一緒に出てきます。もう1つは新製品を試してもらうために製造元が出す割引クーポン券。こちらは Sunday Paper（新聞の日曜版）に挟まれているチラシばかりの冊子に印刷されています。それぞれのページの端にあるクーポンをハサミで切り取り、会計時に渡して使います。最近ではオンラインで手に入れられる場合もあります。「他の割引との併用はできません」という記載がなければ、何枚でも使えます。

例えば、あるドラッグストアで、

「お店発行：25$ 以上買うと 5$ 引き」
「お店発行：化粧品なんでも 10$ 以上買うと 2$ 引き」
「製造元発行：〇〇社の〇〇を買うと 1$ 引き」
「製造元発行：〇〇社の新製品〇〇をサンプルとして無料提供」
「〇〇社製品すべて Buy One get One free キャンペーン中」

の順にクーポンを組み合わせていくことで、かなり安く買い物を済ませることができます。クーポンを出す順番を間違えると valid（有効）でなくなり、discount（割引）されないこともありますので、気を付けて。楽しく節約して、留学生活を乗り切ってください。

Chapter 2

主張に理由を付ける

主張を述べた後には、その主張を裏付ける根拠（理由）を示す必要があります。TOEFL テストでは、専門知識ではなく、聞き手（読み手）がイメージしやすい、わかりやすい detail（詳細）の描写ができているかを評価します。本章で、根拠（理由）を示すフレーズを習得し、簡潔な文で多くの情報を示せるようにしましょう。

011

有機食材を食べるのは、あなたにとっていいことです。

It is good / for you / to eat organic food.

それはいい / あなたにとって / 有機食材を食べること

It is [形容詞] to [動詞]
[動詞] することは [形容詞] だ

To eat organic food is good for you. では、主語が長くなりバランスが悪いため、先に it（それ）はどうなのかを示した後に、to [動詞] で it の内容を明示する。また、この時の [人] は [動詞] を行う主体を表す。

good for [人]
[人] にとっていい

TOEFL テストでも日常会話でも Good for you.（よかったね。）という表現はよく使われる。ある意見をサポートする理由として It is good for you. で終わってしまうと、サポート材料としては弱すぎる。続く文で、何にとっていいのか、どのようにいいのかを具体的に説明してスコアアップを狙おう。

Vocabulary

☐ **organic**：形 有機の

②主張に理由を付ける

練習問題

〈1〉友人といい関係を保つために気をつけるべきことをアドバイスしてあげましょう。[　]の中に入る言葉をできるだけ多く考えましょう。

To maintain friendships, **it is** good **for** you **to** [　　　　　].
友情を保つためには、[　　　]ことがあなたにとっていいです。

例

- 一緒に勉強する：study together
- 本当のことを言う：tell the truth
- 時々小さなウソをつく：tell a small lie from time to time
- いいニュースを知らせる：share good news

〈2〉最近いろいろなことがうまくいっていない友達にアドバイスをしてあげましょう。[　]の中に入る言葉をできるだけ多く考えましょう。

It is [　　　　　] **for** you **to** make changes.
あなたにとって、変化することは[　　　]です。

例

- 重要：important
- 必要：necessary
- 避けられない：inevitable
- 難しい：difficult

Mastering Process

012

きちんとリサイクルをすることは、未来の世代に貢献することです。

Recycling properly / contributes / to future generations.

リサイクルをきちんとすること／貢献する／未来の世代に

[動名詞（動詞の-ing形）] properly
きちんと[動詞]すること

動名詞を主語にするワザを身につけよう。常に「I」から文章を始めていると、単調な文が続き、高得点につながりにくい。また、properly（きちんと）を後ろに置くことで、強いサポート理由となる。発音は第1音節のroを強調し、[prápərli] とする。

contribute to [人・物]
[人・物] に貢献する

[人・物] に対して、プラスの影響を与えると思われる場合には「貢献する」の意味として使う。to の後ろには、その恩恵を受ける [人・物] を入れる。contribute to には上記の意味以外に「～の一因となる」という意味もあるので注意しよう。

　Deforestation <u>contributes to</u> global warming.
　（森林破壊は地球温暖化の一因となっている。）

Vocabulary
□ **generation**：名 世代

②主張に理由を付ける

練習問題

〈1〉健康維持のために日常的に何をするといいでしょうか。[ ]の中に入る言葉をできるだけ多く考えましょう。

[　　　　　　　　　] **contributes to** my health.
[　　　　　　　　　] は私の健康にいいです。

例

- きちんと食べること：Eating properly
- きちんと運動すること：Exercising properly
- きちんと歩くこと：Walking properly
- きちんと寝ること：Sleeping properly

〈2〉社会人として働いている自分を思い浮かべながら、次の英文を完成させましょう。[ ]の中に入る言葉（あなたが貢献したい相手、団体）をできるだけ多く考えましょう。

I want to **contribute to** [　　　　　].
[　　　　] に貢献したいです。

例

- 会社：my company
- チームメイト：my teammates
- 地域の共同体：my community
- 社会：society

Mastering Process

013

顧客と話すことで、私はコミュニケーションスキルを伸ばすことができます。

Talking to customers / improves / my communication skills .

顧客と話すことは / 伸ばす / 私のコミュニケーション能力を

improve ～
～を伸ばす

「改善する」「上達させる」の意味を含む。主語に［事・物］を表す名詞を置き、improve my［名詞］と続けると、具体的に自分のどの部分を伸ばすのかを示すことができる。

［名詞 / 形容詞］skills
［名詞］に関わる能力・技術／［形容詞］的な能力・技術

skills の前に名詞を置き、何の能力を伸ばすのかを具体的に説明しよう（上の文では「コミュニケーションに関わる能力」）。skills の前に形容詞を置くと「［形容詞］のような能力」となる。skill は日本語でもよく使われるが、英語では不可算名詞では「腕前」、可算名詞では「能力、技術」と意味が異なるので注意しよう。まずはフレーズの通り、複数形で覚えて使うようにしよう。

Vocabulary

□ **customer**：图顧客。類語 consumer（消費者）と一緒に覚えよう。

②主張に理由を付ける

練習問題

〈**1**〉 次の文の主語は、どのような能力を伸ばす(improve)と思いますか。[ ]の中に入る言葉をできるだけ多く考えましょう。

Chatting online **improves** my [　　　　] **skills** .
オンラインチャットは私の[　　　　]力を伸ばします。

例

・タイピング：typing
・コンピューター：computer
・社会的な、社会性の：social
・素早く考える：quick-thinking

〈**2**〉 次の日本語の文の意味になるように [ ] の中に言葉を入れ、英文を完成させましょう。

人生の中で目標を持つことで、時間がうまく使えるようになる。
[Having a goal in my life] **improves** my [time-management] **skills** .
（人生の中で目標を持つこと）　　　　　　　　　　（時間管理）

応用練習

自分の好きな物、好きな行動が、どのような能力を伸ばすのかを伝える文を作りましょう。

_____ **improve(s)** my _____ **skills** .

- 自分の好きな物・行動 Ⓐ
- Ⓐが伸ばす能力 Ⓑ

Mastering Process

014

その教授は、私の潜在能力を最大限まで伸ばしてくれます。

The professor / helps me / to maximize / my potential.

その教授は / 私を助ける / 最大化するのを / 私の潜在能力を

help [人] (to) [動詞]

[人] が [動詞] することを助ける

to は省略可。具体的に何をすることを助けてくれるのかを説明することで、論理をサポートすることができる。

maximize [名詞]

[名詞] を最大限にする

後ろにくる主な名詞は以下の通り。

ポジティブな言葉	potential（潜在能力） effectiveness（効率の良さ） など
限界、制限があるもの	time（時間） schedule（スケジュール） money（お金） budget（予算） など

041 の「悪いことを最小限にとどめる」minimize [名詞（ネガティブな言葉）] とセットで覚えよう。

Vocabulary

☐ **potential**：名 潜在能力。日本語の「ポテンシャル」と同義だが、「ポテンシャルを引き出す」という時は bring out potential（ポテンシャルを［明るみに］引き出す）となり、動詞 pull（引く）は使わない。

②主張に理由を付ける

練習問題

〈1〉次の文の主語は、どのような素質、物事を最大限にする（maximize）と思いますか。[ ]の中に入る言葉をできるだけ多く考えましょう。

Working as a team **helps** us **to maximize** [　　　　　].
チームで働くことは私達が[　　]を最大限にすることを助けます。

例

・生産性：our productivity
・予算：our budget
・各メンバーが持ち寄る専門性：＊専門性：expertise [èkspɚ(ː)tíːz]
　the expertise that each member can bring

〈2〉次の日本語の文の意味になるように[ ]の中に言葉を入れ、英文を完成させましょう。

［インターネットを使うと、私の勉強時間が］最大限に使えます。
[Using the Internet] **helps** me **to maximize** [my study time].
（インターネットを使うこと）　　　　　　　　　　（私の勉強時間）

応用練習

自分の好きな物、好きな行動が、どのようなことを最大限にするかを伝える文を作りましょう。

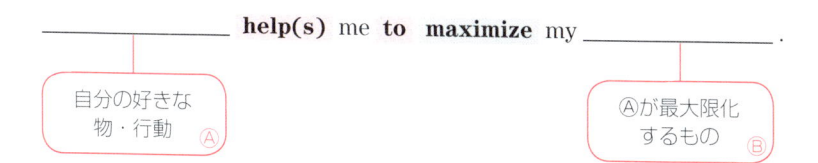

＿＿＿＿＿＿＿ **help(s)** me **to maximize** my ＿＿＿＿＿＿＿.

（自分の好きな物・行動 Ⓐ）　　　　　（Ⓐが最大限化するもの Ⓑ）

Mastering Process

015

夫(妻)は、私を精神的に支えてくれます。

My spouse / provides me / with mental support．

私の配偶者は / 私に与える / 精神的支えを

provide [人] with [物]

[物] を [人] に与える

同じ意味で語順を変えたフレーズ（=provide [物] for [人]）にも慣れておこう。[物] と [人] の語順を入れ替えて使う場合は前置詞を変えることに注意すること。give（与える）も同じような使い方をするが、provide の方がよりあらたまった印象になる。

[形容詞] support

[形容詞] 支え

support の前に形容詞を置き、「[形容詞] のような支え」「[形容詞] 的支援」とする。具体的にどのような利点があるのかを説明する時に使う。日本語でも英語と同じ意味で「サポート」と言うことがあるが、使えるカタカナ語はどんどん取り入れていこう。

Vocabulary

☐ **spouse**：名配偶者。husband（夫）、wife（妻）の言い換えに使えるが、かしこまった手続きなどの場面で使われることが多い。
☐ **mental**：形精神的な

②主張に理由を付ける

練習問題

〈**1**〉次の日本語の文の意味になるように [ ] の中に言葉を入れ、英文を完成させましょう。

大学は学生に経済的支援を行うべきです。
[Universities should] **provide** students **with** [financial support].
　(大学は～すべきだ)　　　　　　　　　　　　　　　　　(経済的支援を)

〈**2**〉次の文の主語は、何を与えてくれる (provide) と思いますか。[ ] の中に入る言葉をできるだけ多く考えましょう。

Being with friends **provides** me **with** [　　　　　　　].
友達といることは、私に [　　　　　　　] を与えます。

例

- 安心感：emotional comfort　・楽しい時：a fun time
- 社会的生活：a social life
- 彼らと話す機会：a chance to talk to them

応用練習

自分の好きな物、好きな行動が、どういった点であなたを支えてくれるのかを伝える文を作りましょう。

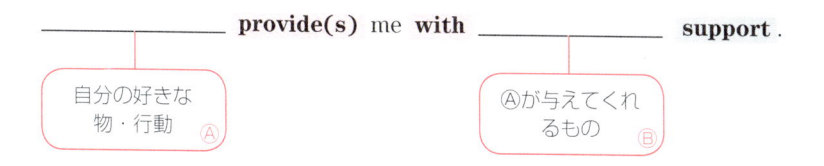

_____ **provide(s)** me **with** _____ support .

- 自分の好きな物・行動 Ⓐ
- Ⓐが与えてくれるもの Ⓑ

Mastering Process

016

🔊016

> オンラインで買うことで、お金が節約できます。

I can save money / by shopping online.

私はお金を節約できる / オンラインで買うことで

save money
お金を節約する

何かを「節約できる」「使わなくて済む」、特に「お金を節約できる」というメリットは、自分の意見に理由を付ける時にわかりやすいサポート材料になる。save には「助ける」という意味もあるが、後ろに続く目的語に money をとる場合には、「使わないでとっておく」の意味になる。同じように意味の1つとしてお金を貯める行為と関連性の高い表現を覚えておこう。

・put aside 〜「〜を蓄えておく」
　We should put aside some money every month for a rainy day.
　（もしもの時のために毎月いくらか蓄えていた方がいいよ。）

・cut back on 〜「〜を削減する」
　We can cut back on energy costs by turning off the lights when they are not in use.
　（使われていない時には電気を消すことで、エネルギー費用を削減することができる。）

by [動名詞（動詞の-ing形）]
[動詞] することによって

条件を示す。動作の主体が主文と同じ場合（上の文であれば save money をする I）、動名詞の前には人を表す言葉は不要。by shopping（買うことによって）のみで、I が shop するのだと推測できる。

Vocabulary

□ **save**：動 節約する、とっておく、救う

②主張に理由を付ける

練習問題

〈**1**〉どのような行動がお金の節約になると思いますか。[ ] の中に入る言葉をできるだけ多く考えましょう。

I can **save money by** [   ].
[   ] ことでお金が節約できます。

例

- 古着を買う：buying used clothes
- 公立校に行くこと：going to a public school
- 両親と住むこと：living with my parents

〈**2**〉お金の無駄を指摘する文を作りましょう。あなたの会社／学校を思い浮かべながら、次の英文を完成させましょう。[ ] の中に入る言葉をできるだけ多く考えましょう。

My company/school can **save money by** get**ting** rid of [   ].
私の会社／学校は [   ] を捨てれば、お金を節約できます。

例

- 古い書類：old documents
- 古いパソコン一式：outdated computer systems
- 紙ベースのコミュニケーション：paper-based communication

Mastering Process

017

> 私にとっては、公共交通機関を使うことは、車を所有するよりずっと安くつきます。

For me , / taking public transportation is / much cheaper / than owning a car.

私にとっては / 公共交通機関を使うことは〜だ / ずっと安い / 車を所有するよりも

for me
私にとっては

場面や場所を限定させ、この範囲においては自分の論理が正しいという主張をする in my case（私の場合は）、personally（個人的には）も同義で使える。

A is much［形容詞に-erを付ける形］than B
AはBよりずっと［形容詞］だ

選択肢が2つある場合は比較級を使って、論点を明確にしよう。上の文の場合は much + cheap + -er + than のように、形容詞が短いので語尾に -er を付け、「〜よりも」を表す than を続ける。選択肢2つの差を表す副詞は形容詞の前に置く。ただし、very は比較級と一緒に使えない。

　○ This is <u>very cheap</u>.　○ This is <u>much cheaper than</u> that one.
　× This is <u>very cheaper than</u> that one.

005 の more important than と合わせて、more［形容詞］と［形容詞に -er を付ける形］の使い分けを確認しよう。

POINT 日本の都市ほど電車やバスが発達していないところでは、車を持つ方が安く済むこともある。自分が考える前提が世界でも同じ前提となりうるか、あるいは TOEFL の採点者が理解できるものかを常に意識しよう。

Vocabulary
□ **own**：動 所有する。have（持つ）の言い換えに使える。

練習問題

次の文の2つの事柄は、あなたにとってどのような関係ですか。比較級を使って [ ] の中に入る言葉をできるだけ多く考えましょう。

For me, learning new sports **is** [　　　　　] **than** learning musical instruments.

私にとっては新しいスポーツを習うことは、新しい楽器を習うよりも [　　　　　] ことです。

例

・ずっと簡単な：much easier
・ずっとわくわくする：much more exciting
・ずっと興味深い：much more interesting

応用練習

次の文の2つの事柄を対比しながら、自分が好きな方がどちらなのかを伝える文を作りましょう。

・being alone（一人でいること）
・being with friends（友達といること）

Personally, ＿＿＿＿＿＿＿＿ **is much better than** ＿＿＿＿＿＿＿＿ .

（自分にとって良い方）　　　　　（自分にとってはあまりよくない方）

Mastering Process

018

Eメールを送ることは、お金の面でも、時間の面でも、効率が良いです。

Sending e-mails is / cost-effective / and time-efficient .

Eメールを送ることは / 費用効果がある / 時間の効率も良い

cost-effective
費用効果がある

安くはなくても払った分以上の効果が期待できる時に使える。例えば同じ値段でも、そのサービス・商品に価値を見出す人にとっては cost-effective だから良いと主張できる。

time-efficient
時間の効率が良い

時間はかかるが、かけた時間の割には効率よく作業が進む・物事が運ぶと主張する時に使う。

POINT 物の値段や費やす時間自体が変わるわけではないが、自分がそれらをどう捉えているのかを主張したい時に使えるフレーズ。例えば100万円の壺でも、それから得るものが100万円以上だと購入者が感じるならば、それは cost-effective だ。また、1つの研究に何十年も費やしている場合、一般的には slow と捉えられることがあっても、自分にとってはそれが唯一の方法であり time-efficient だと思えば、主張自体は妥当である。

Vocabulary

☐ **e-mail**：名 Eメール。mail（手紙）は不可算名詞だが、e-mail は可算名詞として使われることが多いので、必要な時には複数形 e-mails とすること。動詞として I will e-mail you tonight.（今夜Eメールを送ります。）と使うこともできる。

②主張に理由を付ける

練習問題

〈**1**〉 身の回りの technology（技術）で、cost-effective かつ time-efficient と思うものは何ですか。[ ] の中に入る言葉をできるだけ多く考えましょう。

[   ] is **cost-effective** and **time-efficient**.
[   ] はお金の面でも、時間的にも効率がいいです。

例

・コンピューターを使うこと：Using a computer
・携帯電話を使うこと：Using a cell-phone
・プリペイドカードで買い物をする：Shopping with prepaid cards

〈**2**〉 次の日本語の文の意味になるように [ ] の中に言葉を入れ、英文を完成させましょう。

［私のコーヒーメーカー］は費用効果が高いです。［いいコーヒーを作り、かつ毎日カフェでコーヒーを買うより少ないお金しかかかりません］。
[My coffee machine] is **cost-effective** because [it makes great coffee and it costs less than buying coffee every day at a café].

Mastering Process

> マラソンは免疫系を高めます。

019
🔊019

Running marathons / can strengthen / our immune system .

マラソンは／強くすることができる／私達の免疫系を

strengthen ~
~を強くする

形容詞 strong の動詞形。良い点を具体的に伝える時に使える表現。

immune system
免疫系

ここでの system は体の器官が集まったもの。専門用語も少しずつ覚えていこう。

人体に関する〜系の用語例と覚え方：
　circulatory system（循環系：circle は「丸、循環」）
　digestive system（消化系：スポーツニュースのダイジェストは視聴者が
　　　　　　　　　内容を消化できるように短くとりまとめたもの）
　muscular system（筋肉系：muscle は筋肉）
　nervous system（神経系：ナーバスになるのは神経が緊張するから）

Vocabulary

☐ **immune**：形免疫の。免疫力をつける予防接種は immunization。

練習問題

〈1〉次の文の主語は、どのようなことを強くする（strengthen）と思いますか。［　］の中に入る言葉をできるだけ多く考えましょう。

Working as a team can **strengthen** [　　　　　　　].
チームとして動くことは［　　　　　　　］を強くします。

例
- 私達の協力関係：our partnership
- 友情：friendship
- 私達の結びつき：our ties

〈2〉次の日本語の文の意味になるように［　］の中に言葉を入れ、英文を完成させましょう。

ヨーグルトの中のビフィズス菌は［私達の消化系］を高めます。
Bifidobacteriales in yogurt can **strengthen** [our digestive system].

応用練習

自分の好きな物、好きな行動が、どのようなことを強くするかを伝える文を作りましょう。

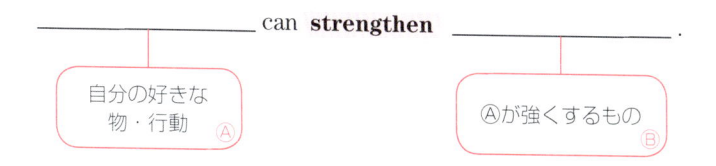

_____ can **strengthen** _____ .

Ⓐ 自分の好きな物・行動

Ⓑ Ⓐが強くするもの

Mastering Process

020

1人で働くと、時間の節約になります。

I can save time / if I work alone.

私は時間を節約できる / 1人で働くとしたら

save time
時間を節約する

016のキーフレーズ save money（お金を節約する）と同様に「時間を節約する」も主張の理由として力強いサポートになる。

if ～
もし～だったら

仮定の条件を付け加える時に使える。実現の可能性が低いことを示す時には、動詞を過去形にするというルールがある。

 I can save time if I work alone.（1人で働くと時間の節約になる。）
 I could save time if I worked alone.（[実際にはほとんどの場合、集団で働くのでそんなことは無理だろうけれども] もしも1人で働くなら、時間の節約になる。）

Vocabulary

□ **alone**：1人で、自分（達）だけで

②主張に理由を付ける

練習問題

〈1〉どのような行動が時間の節約になると思いますか。[ ]の中に入る言葉をできるだけ多く考えましょう。

I can **save time** if I [   ].
[   ]ことで時間が節約できます。

例

- 自分の車を運転する：drive my own car
- 全自動ロボット掃除機を使う：use an auto vacuum cleaner robot
- レストランで食べる：eat at restaurants

〈2〉時間の無駄を指摘する文を作りましょう。あなたの会社／学校を思い浮かべながら、次の英文を完成させましょう。[ ]の中に入る言葉をできるだけ多く考えましょう。

My company/school can **save time** by getting rid of [   ]
私の会社／学校は[   ]を捨てれば、時間を節約できます。

例

- 古い慣習：old customs
- 朝礼：morning assemblies
- 長い会議：long meetings

Mastering Process

021

職場にいると、自分の仕事に集中できます。

I can concentrate on my work, / when I am at the office.

自分の仕事に集中できる / 職場にいる時に

concentrate on 〜
〜に集中する

前置詞と一緒に覚えよう。日本語の「作業が進む」「仕事がはかどる」などを表す時にも、この concentrate on 〜が使える。同義に focus on 〜（〜に焦点を当てる）がある。

when 〜
〜の時に

条件を表す。020 の if 〜（もし〜だったら）と同義で使える。条件や時を表す副詞節の中では、未来のことであっても現在形を使うルールをおさえておこう。例えば、I want to eat chocolate when I finish this test.（この試験が終わったらチョコレートが食べたい。）のように、試験が終わるのは未来のことであっても現在形を使う。動詞の時制や型に関する文法はしっかりおさえてアウトプットに反映させよう。

Vocabulary

- **office**：名 職場。at the office は「職場で」の意味。

②主張に理由を付ける

練習問題

〈**1**〉次の日本語の文の意味になるように [ ] の中に言葉を入れ、英文を完成させましょう。

1. カフェにいると読書が進みます。

I can **concentrate on** [my reading] **when** [I am at a café].
　　　　　　　　（私の読むこと）　　　　　　（私がカフェにいる）

2. 自分の部屋にいると宿題がはかどります。

I can **concentrate on** [my homework] **when** [I am in my room].
　　　　　　　　（宿題）　　　　　　　　（私が自分の部屋にいる）

3. 1人の時には自分が本当に必要なことに集中できます。

I can **concentrate on** [what I really need] **when** [I am alone].
　　　　　　　（私が本当に必要なこと）　　　　（私が1人でいる）

〈**2**〉どのような時に勉強に集中できますか。[ ] の中に入る言葉をできるだけ多く考えましょう。

I can **concentrate on** my studying **when** [　　　　　].
[　　　　　] 時は勉強に集中できます。

例
- 学校にいる：I am at school
- 近くに誰もいない：no one is around
- トイレにいる：I am in the bathroom

Mastering Process

022

勤勉は、金銭的な成功へのカギです。

Hard work is the key / to financial success.

勤勉はカギだ / 金銭的な成功への

hard work
勤勉

hard work は名詞的な使い方で、「がんばる」と動詞的な使い方をする時は work hard。似た表現に、try hard（一生懸命努力する）、do my / our best（ベストを尽くす）があるので一緒に覚えよう。

the key to ～
～へのカギ

「～するためには重要」という意味を含む。～ is important の言い換えに使える。上の文は以下のように言い換えることができる。

　Hard work is the key to financial success.
　=Working hard is important for financial success.
　（勤勉に働くことは金銭的な成功にとって重要です。）
　=It is important to work hard if you want to succeed financially.
　（もしあなたが金銭的に成功したければ勤勉に働くことは重要です。）

このような構文と語句の品詞を変えた言い換えが短時間でたくさんできるようにすることが、TOEFL で評価される言い換え力を鍛えるコツである。

Vocabulary

□ **success**：名 成功。前に形容詞を置き「［形容詞］的な成功」と具体的に述べることもできる。

②主張に理由を付ける

練習問題

「出席率の高さ」や「教育」はどのような結果をもたらすと思いますか。また、TOEFLテストで高得点を取るためのカギは何でしょうか。[　]の中に入る言葉をできるだけ多く考えましょう。

1. 良好な出席状況は［　　　］へのカギです。
Good attendance is **the key to** [　　　　　].

例
- 良い成績：good grades
- 進歩：progress
- 学問的な成功：academic success

2. 教育は［　　　］へのカギです。
Education is **the key to** [　　　　　].

例
- より良い未来：a better future
- 進歩：development
- 世界平和：world peace

3. ［　　　　］はTOEFLテストで高得点を取るためのカギです。
[　　　　] is **the key to** getting a high score on the TOEFL test.

例
- 言い換えをすること：Paraphrasing
- 幅広い語彙を使うこと：Using a wide range of vocabulary
- 勤勉：Hard work

Mastering Process

023

一人旅をすると、現地の人々と時間の制約なく関われます。

Traveling alone / allows me / to interact with local people / with no time constraints.

1人で旅をすること / 私に許す / 現地の人々と関わることを / 時間の制約なしに

allow［人］to［動詞］
［人］に［動詞］することを許す

主語は［事・物］を表す名詞がくるが、上の文のように［動名詞（動詞の-ing形）］を使うこともできる。日本語でも「状況が許さない」と言うように、人でないものを主語にできるのが特徴。

interact with ～
～と相互に関係する

相互にやりとりをするという意味。形容詞 interactive は日本でも IT 用語「インタラクティブ」として「対話型の」「双方向性がある」という意味で使われている。

Vocabulary

☐ **local**：形 その土地の、現地の。日本語で都市部との対比で「田舎」をローカルと言うことがあるが、その意味の英語は countryside。「出身地」の意味の田舎は、英語では hometown となる。

☐ **constraint**：名 制約。with no time constraints で「時間の制約なしに」＝「時間に限りなく」の意味。

練習問題

⟨1⟩ 次の文の主語は、どのような相互関係を許す／可能にする（allow）と思いますか。[ ] の中に入る言葉をできるだけ多く考えましょう。

Seminar type courses **allow** me **to interact with** [   ].
セミナー形式のコースでは、[   ] と交流することができます。

例

- 他の学生達：other students
- 多くのクラスメイト：a lot of classmates
- 教授達：professors

⟨2⟩ 次の日本語の文の意味になるように [ ] の中に言葉を入れ、英文を完成させましょう。

英語を勉強することは私に世界中の人々とつながることを可能にします。
Studying English **allows** me **to** [connect with people around the world].
（世界中の人々とつながる）

応用練習

自分の好きな物、好きな行動が、どのようなことを自分に許す／可能にするかを伝える文を作りましょう。

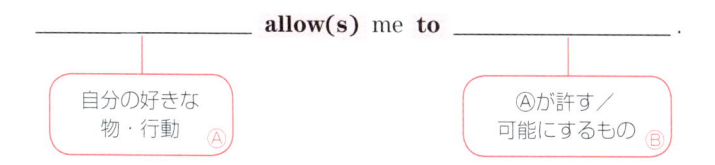

_____ **allow(s)** me **to** _____ .

Ⓐ 自分の好きな物・行動

Ⓑ Ⓐが許す／可能にするもの

Mastering Process

024

水族館では、リラックスすることができます。

I can feel relaxed / at the aquarium.

私はリラックスしていると感じる / 水族館で

feel［形容詞］

［形容詞］である／［形容詞］と感じる

think が「（理性で）考える」のに対し、feel は「（感情で）感じる」である。I think that 〜は、I feel that 〜に言い換えることができ、より直感的なイメージを与える。感情の他に、自分の健康状態を表し、I was not feeling very well.（あまり調子が良くなかった。）や I feel fine.（心身ともにとてもいい気分よ。）といったように使う。

relaxed

リラックスしている（状態）

日本語で言う「リラックスする」は、英語では、I can relax.（リラックスできる。）、あるいは I feel relaxed.（リラックスしていると感じる。）で表すことが多い。

Vocabulary

□ **aquarium**：名 水族館。-ium が付く単語は場所を表す。planet + ium = planetarium（天体の場所＝プラネタリウム）。audio + ium = auditorium（音の場所＝公会堂）

②主張に理由を付ける

練習問題

〈**1**〉「お気に入りのレストラン」や「空港」で、どのようなことを感じますか。[　]の中に入る言葉をできるだけ多く考えましょう。

1. お気に入りのレストラン
   I **feel** [　　　　　　] at my favorite restaurant.

例

・心地よい：comfortable　・幸せ：happy　・くつろいで：at ease

2. 空港
   I **feel** [　　　] at the airport.

例

・疲れた：tired　・わくわくする：excited　・悲しい：sad

〈**2**〉どのような時にリラックスしますか。[　]の中に入る言葉をできるだけ多く考えましょう。

I **feel relaxed** [　　　　　　　　　].
[　　　　　　　　　] リラックスします。

例

・シャワーを浴びていると：when I'm in the shower
・ソファーでゆったりしている時：when resting on my couch
・友達と話している時：when talking with my friends

Mastering Process

025

(選択肢が2つある時に)
彼のレポートはテーマを変えた方が、やりやすそうです。

Changing the theme of his paper / sounds / more practical .

彼のレポートのテーマを変えることは / ように聞こえる(ようだ) / より現実的な

[事・物] sound [形容詞]

[事・物] が [形容詞] ように聞こえる／思える

「〜だ」という断定ではなく「〜のように聞こえる」という控えめな意見を言う時に使えるフレーズ。会話文に見られるSounds good.は「いいですね(=よく聞こえますね)。」と相手に同調を伝える。主語には [事・物] の代わりに、上の文のように [動名詞(動詞の-ing形)] を使うこともできる。

practical

実践的な／実用的な／現実的な

実際に履行できることに対して使う。動詞practice(練習する)には「履行する、実際に行う」という意味もある。

Vocabulary

□ **theme**：名 テーマ。発音 [θíːm] は日本語の発音とは異なるので注意。
□ **paper**：名 紙。TOEFLテストでは、日本語で言う「レポート(学期中の宿題)」の意味で使われることが多い。「研究論文」という意味もある。

②主張に理由を付ける

練習問題

次の質問に答えましょう。選択肢から1つ選び [ ] の中に入れ、その理由を考えましょう。

You are to choose between two plans for your summer vacation:
(1) going abroad for volunteer work
(2) staying in the dorm and writing a paper
Which plan do you prefer? Why?

あなたは2つの夏休みの計画から1つを選びます。
(1) 海外でボランティアをする
(2) 寮に残り、レポートを書く
どちらを好みますか。それはなぜですか。

I think [　　　　　　　　　　　　] is better for him
because it [　　　　　　　].
私は [　　　] 方が彼にとって良いと思います。
なぜなら、その方が [　　　] です。

例

・寮に残りレポートを書く：staying in the dorm and writing a paper
・やりやすそうに聞こえるから：sounds more practical

※ I think の後は書かれた選択肢を繰り返さず、I think the second/latter plan（2番目の計画／後述の計画）is better for him because... としても良い。

Mastering Process

026

先述の選択肢の方が、その学生にとって簡単なはずです。

The former option / should be easier / for the student.

先述の選択肢は / 〜より簡単なはずだ / その学生にとって

should 〜
〜すべきだ／〜のはずだ

事実はさておき、自分はこのように思うという推量を表す。少しつながりが強引に見える理由付けの文で使うことで、バランスを取ることができる。

［形容詞に-erを付ける形］
（何かと比較して）より［形容詞］

2つ選択肢がある時には比較級を使おう。文末に than the latter option（後述の選択肢よりも）と残された選択肢について言及してもよいが、比較対象が明らかな場合は上の文のように省略することが多い。

Vocabulary

☐ **former**：形 2つ述べたことのうち前述の。= the first option ⇔ the latter option, the second option
☐ **option**：名 オプション、選択（肢）

②主張に理由を付ける

練習問題

次の質問に答えましょう。選択肢から1つ選び [ ] の中に入れ、その理由を考えましょう。

The university student has lost her library card.
She has two options.
・go back to the cafeteria and look for it
・go to the school security office for help
Which plan do you recommend? Why?

大学生が図書館のカードを無くしました。
2つ選択肢があります。
・食堂に戻り、探す
・学内警備のオフィスに助けを求めに行く
どちらを彼女に薦めますか。それはなぜですか。

I think she **should** [   ],
because [   ].
私は彼女は [   ] べきだと思います。
なぜなら [   ] です。

例

・食堂に戻り、探す：go back to the cafeteria and look for it
・先述の選択肢の方がその女子学生にとって簡単だから：
  the former option should be easier for the female student

Mastering Process

027

何と言っても（それは）タダというところがいいです。

The best part is / it is free .

最も良い部分は〜だ / それは無料だ

the best part is 〜
最も良い部分は〜だ

すでにいくつか良い点を述べた後に「最も良い点は」と付け加える時に使うフレーズ。best の前には必ず the を付け、the best に。the most important part is 〜（最も大事なことは〜だ）も同様に使えるフレーズなので覚えておこう。

free
自由の／無料の

TOEFL テストでは、free ride（無賃乗車、無料乗車）、free parking（無料駐車場）など「無料」の意味で使われることも多い。「フリーペーパー」は、英語では free newspaper、あるいは newspaper that is free of charge（料金が無料である新聞）。

Vocabulary

☐ **part**：名 部分、全体を構成する一部。類語 portion は I will pay my portion.（[みんなでご飯を食べた後に] 私の分は払うね。）のように、全体を区分した上での一部、割り当てを示す。

②主張に理由を付ける

練習問題

〈**1**〉「ファストフード店で食事をすることはいいことだ」という意見をサポートする、次の英文を完成させましょう。[ ]の中に入る言葉をできるだけ多く考えましょう。

The best part is it is [   ].
何と言っても [　　] ところがいいです。

例

- 安い：cheap
- 早い：quick
- どこにでもある：everywhere

〈**2**〉「映画館で映画を見ることはいいことだ」という意見をサポートする、次の英文を完成させましょう。[ ]の中に入る言葉をできるだけ多く考えましょう。

The most important part of seeing movies at the theater is [   ].
最も大事なことは、劇場で映画を見るのは [　　] ということです。

例

- 楽しい：having fun
- 娯楽性がある：being entertained
- ゆったりできる：feeling relaxed

※話の流れで it が指すものがはっきりしない場合は、of の後に名詞で示すことが必要。「〜すること」であれば、上の文のように動名詞を使う。

Mastering Process

028

隣人に、ずっと強気を保ってがんばれと励まされます。

My neighbors encourage me / to keep trying / to stay tough.

隣人は私を励ます / 挑戦し続けるように / 強気のままでいることを

［事・人］encourage me to［動詞］
［事・人］が、私が［動詞］するように励ます

encourage は、日本語で言うところの「励ます」に最も近い意味を持つ。ただし「慰める」という意味はなく「応援する」という意味に近い。名詞の motivation（モチベーション）から派生した動詞 motivate（動機を与える）も、このフレーズと同様に動詞の後ろに［人］to［動詞］の形をとり、motivate me to study abroad（外国で学ぶよう動機付ける）のように使う。

keep［動名詞（動詞の-ing形）］
［動詞］し続ける

keep trying であれば、持続して「がんばる」の意味。何に挑戦するのか（具体的な情報）は、上の文のように to［動詞］部分で説明する。

Vocabulary

☐ **neighbor**：名 隣人、近所の人。派生語 neighborhood（近所）も TOEFL テストでは頻出する。つづりと発音 [néɪbɚ] も合わせて確認しよう。

☐ **tough**：形 精神的に強い、つらい（状況）。a tough professor と言えば「評価基準の厳しい教授」を指し、日本語の「タフ」の意味を含んだ「鍛えた体を持つ教授」ではない。

②主張に理由を付ける

練習問題

〈1〉誰が、どのようなことが、あなたの健康維持を励まして（encourage）くれますか。[ ]の中に入る言葉をできるだけ多く考えましょう。

[　　　　] **encourage(s) me to** stay healthy.
[　　　　] は私が健康でい続けるように励ましてくれます。

例

- 私の家族：My family
- スポーツの楽しさ：The joy of playing sports
- 高い入院費について知っていること：
  Knowing about high hospital fees
- 時折体にわずかな不調があること：
  Having a little body dysfunction once in a while

〈2〉次の日本語の文の意味になるように [ ] の中に言葉を入れ、英文を完成させましょう。

1. 私は良き隣人であるようにがんばり続けます。
I [keep trying to be a good neighbor].

2. 私達は起きていようとがんばり続けました。
We [kept trying to stay awake].

3. 両親は自分達の言うことを私に聞かせようとがんばり続けました。
My parents [kept trying to make me listen to what they say].

Mastering Process

029

新しいシステムは、近隣住民により安全な環境を作ることができます。

The new system can make / a safer environment / for the neighboring residents.

新しいシステムは作ることができる / より安全な環境を / 近隣住民にとって

a/the ～ system

～なシステム／［～を行う・～に関わる］システム

英語の system は日本語の「システム」に比べ広義に使える万能語。そもそも複雑な構成要素が共に動きつつ1つのことを行う組織を指し、日本語でイメージする「機構」や「現場」という意味でも使える。右ページの練習問題で、使える範囲の広さを知り、アウトプットに取り入れよう。

a［形容詞に-erを付ける形］environment for［人］

［人］にとって、より［形容詞］な環境

環境は可算名詞なのでaにすること。比較級を使えば、「従来よりも安全になる」「他の街よりも安全になる」のように複雑な意味を伝えられるようになる。点数アップのためにも使いこなせるようにしよう。

Vocabulary

☐ **resident**：名 住民、住人。residence（名 住宅）、reside（動 住む =live）、residential（形 住宅の）などの派生語も一緒に覚えよう。例：Is this the residence of Ms. Suzuki?（［電話で］そちらは鈴木さんのお宅ですか？）、residential area（住宅街）

②主張に理由を付ける

練習問題

〈**1**〉次の日本語の意味になるように [ ] の中に言葉を入れましょう。

1. 脳の系統器官　→　**the** [brain] **system**

2. 政策策定制度　→　**the** [policy-making] **system**

3. 日本の教育体系　→　**the** [Japanese education] **system**

4. データ通信網　→　**a** [telecommunication] **system**

5. システムエンジニア　→　**a systems** [engineer]

6. 地動説　→　**the** [Copernican] **system**
 ＊直訳するとコペルニクス的学問体系

〈**2**〉新しい食事システムは学生の環境をどのように変えると思いますか。
[ ] の中に入る言葉をできるだけ多く考えましょう。

The new meal **system** can make **a** [　　　] **environment for** the students.

新しい食事システムは学生に [　　　] 環境を作ります。

例

・よりよい：better
・より便利な：more convenient
・より時間的に効率の良い：more time-effective
・より使いやすい：user-friendly

Mastering Process

030

時々ジョギングをすることは、健康を維持する一助になります。

Jogging once in a while / helps me / maintain my health .

時々ジョギングをすることは / 私を助ける / 私の健康を維持することを

maintain ［事・物］
［事・物］（のよい状態、関係）を維持する

名詞 maintenance（持続、整備）も一緒に覚えよう。

health
健康／健康状態

自分の意見を論理立てて説明する時に、「健康に良い」は力強い理由付けになる。体の健康だけでなく、「心の健康」mental health や「経営状態（財務の健全性）」financial health なども覚えておくと便利に使える。

Vocabulary

- **jog**：動 軽く走ること
- **once in a while**：副 時々。「ある程度の期間（while）」の中での1回。週に1回であれば once every week、月に1回は once a month になる。物語の冒頭「むかし、むかし」は once upon a time。

②主張に理由を付ける

練習問題

〈**1**〉健康維持のために何をどのくらいの頻度でしていますか。[ ]の中に入る言葉をできるだけ多く考えましょう。

[　　　　　　　　　　] helps me **maintain** my **health** .
[　　　　　　　　　　] は健康を維持する一助となります。

例

- 週末にジムに行くこと：Going to the gym on weekends
- 有機食材を毎日食べること：Eating organic foods everyday

〈**2**〉あなたが心の健康を維持するために「日常的にしていること」は何ですか。[ ]の中に言葉を入れ、英文を完成させましょう。

My favorite daily activity is [　　　　　　　　　　].
It helps me **maintain** my mental **health** .
私が好んで日常的にしていることは [　　　　　　　] です。
それは私の心の健康を維持する一助となります。

例

- 朝、犬の散歩に行くこと：
  going for a walk with my dog in the morning
- 寝る前にワインを1杯飲むこと：
  having a glass of wine before going to bed
- 起きてからシャワーを浴びること：taking a shower after waking up

Mastering Process

スピーキング・クリニック①

ここでは、スピーキングセクション、Independent Task の Question 1 を例に、「問題に答えてはいるが構文や内容が惜しい解答」とフレーズをうまく使い、「構文や内容が光る解答」を比較します。これまで出てきたフレーズを使って、解答をレベルアップさせるテクニックを自分のものにしてください。

Independent Task の Question 1 を簡略化した問題です。

> ＊ Where is your favorite place to visit on weekends? Be sure to make specific points as to why you like visiting the place.
> 週末に出かけるお気に入りの場所はどこか。なぜその場所を訪ねることが好きなのか、詳しい理由も説明すること。

実際の試験では準備時間が 15 秒、解答時間は 45 秒です。

まずは、設問には答えているけれど、ほとんど要領を得ないと判断される解答を見てみましょう。

> I like aquariums because I like fish. Fish are very important. Aquariums are very good because they are very quiet. I like quiet places. I like the Sunshine Aquarium. My favorite kinds of fish are there.
> 私は水族館が好きです。なぜなら魚が好きだからです。魚はとても大切です。水族館はとても良いです。なぜならそれはとても静かだからです。私は静かな場所が好きです。サンシャイン水族館が好きです。そこには私の好きな種類の魚がいます。

ここが惜しい！

- "Fish are very important." が何にとって、誰にとって important なのかについての情報がない。
- 採点者が知らない地域特有の情報が入っている。
- 主語＋述語、あるいは主語＋述語＋目的語の簡単な構文しか使えていない。
- 同じ構文、単語の繰り返しが多い。

本書のキーフレーズを使ってみましょう。

📢 101

I like aquariums because my son and I always enjoy looking at fish swim freely in the beautiful tanks. My first priority is spending a good time with my family. Having some time to relax with my son helps me keep motivated when I have work. Though some people may disagree, I strongly believe that everyone needs some time to relax. In my opinion, aquariums provide us with a relaxing environment. The best part is the entrance fee is very cheap.

水族館が好きです。息子と私はいつも美しい水槽の中を魚が自由に泳ぐのを見るのを楽しんでいます。私の最優先事項は、家族と一緒に良い時間を過ごすことです。息子と一緒にゆったりとした時間を過ごすことは、私が仕事の時にやる気を出し続けるのを助けてくれます。異議を唱える人もいるかも知れませんが、リラックスする時間はすべての人に必要だと考えます。私の意見では、水族館はゆったりとした環境を私達に提供できるのです。最も良いところは、入場料がとても安いということです。

同じフレーズや本書掲載のほかのフレーズを使って、別の答えを作ることもできます。

I like visiting a friend's house. My first priority is meeting a lot of people. I always enjoy talking and interacting with others. Though some people may disagree, I strongly believe that friends can be the best form of entertainment. Having good friendships can help me maintain my mental health. The best part is it is almost free.

友達の家を訪ねるのが好きです。私の最優先事項は多くの人に会うことです。いつも人と話したり触れ合ったりするのを楽しみます。異議を唱える人もいるかも知れませんが、私は友達が最高の娯楽だと信じています。良い友情を持つことは精神的な健康を保つこと助けてくれます。最も良いところは、それはほとんどタダだというところです。

スピーキングセクションは、全体を通して包括的に評価をするので、どのフレーズを使えば何点上がるというものではありません。すべてのフレーズを完璧に使いこなせるように、またフレーズの中で本当に自分が言いたい事を伝えられるように、ボイスメモなどで何度も録音しながら練習しましょう。

Chapter 3

反対の選択肢を否定する

TOEFLテストには、2つの選択肢の一方を選び、自分の主張として答えるタイプの問題があります。このタイプの問題では、自分の主張とは異なるもう一方の意見（選択肢）に対して異議を唱えることで、自分の主張の正当性を示すことができます。本章で、異議を唱えるフレーズを使って、自分の主張をアピールできるようにしましょう。

031

もう1つの選択肢が、私にとって都合がいいかは分かりません。

I am not sure / if the other choice works / for me.

はっきりとは分からない／もう1つの選択肢が都合よく働くかどうか／私にとって

not sure if 〜
〜かどうか分からない

肯定する確信がない時に使える表現。会話文では I am not sure.（どうだろうね。／よく分からないの。）のように使い、I am not sure why. I just feel that way.（理由は分からないけど、ただそんな気がするのよね。）などとやんわりと否定の意を示す。

A work for [人]
A が[人]にとって都合よく働く

「（人にとって）都合がいい」「〜できる」の意味も含む。上の文のように、何かをすることが都合が悪いという表現で、時や場所を主語にして、Wednesday doesn't work for me.（水曜日は都合が悪いの。）、Does the restaurant work for you?（そのレストランでいい[はあなたにとって都合がいい]ですか？）と示すこともできる。

Vocabulary

☐ **choice**：名 選択肢。同義で option があるが、choice は decision（決定、決心）にも近く、自分の意志で選ぶという動作がもとになる。選択肢が2つの前提であれば、alternative（形 二者択一の、名 2つのうちの選択肢）を使い、上の文を if the alternative works for me と言い換えることもできる。

③反対の選択肢を否定する

練習問題

〈1〉次の 1. 〜 4. の計画を立てている友達に「〜することはあなたにとってうまくいかないんじゃない？」とやんわりと否定しましょう。[ ] の中に言葉を入れ、英文を完成させましょう。

1. 休暇を使い両親の家に帰る
I am **not sure if** [spending holidays going back to your parents' house] **works for** you.

2. 休暇を使いバイトする
I am **not sure if** [spending holidays doing a part-time job] **works for** you.

3. 週末にチェスのトーナメントのための練習をする
I am **not sure if** [spending weekends practicing chess for the tournament] **works for** you.

4. 彼と付き合う（交際する）
I am **not sure if** [going out with him] **works for** you.

〈2〉次の日本語の文の意味になるように、英訳しましょう。

その解決策がどんな状況でもみんなに都合よく働くかどうかはわかりません。
I am not sure if the solution works for everyone in every situation.

Mastering Process

032

📢 032

ノートパソコンがないと、何もできません。

Without my laptop, / I **cannot do anything** .

ノートパソコンなしでは / 私は何もすることができない

without 〜
〜なしでは

if（もしも）を使わず仮定や条件を示すことができるフレーズ。上の文を if を使った文にすると、If I did not have a laptop, I couldn't do anything. となる。

cannot [動詞] anything
何も [動詞] することができない

強い否定を表す時に使う。

some と any の使い分けをおさえておこう。否定形の後は any が続く。
　I have <u>some</u> money.（お金をいくらか持っている。）
　I do not have <u>any</u> money.（全くお金を持っていない。）

Vocabulary

☐ **laptop**：名 ノートパソコン。座った時にひざ（lap）の上（top）に乗せて使えることから laptop computer と呼ばれ、computer は省略されることがある。机の上に置いて使うパソコンは desktop（デスクトップ＝卓上）computer。

③反対の選択肢を否定する

練習問題

〈**1**〉生きていく上で誰もが必要とするものは何だと思いますか。[ ]の中に入る言葉をできるだけ多く考えましょう。

Without [　　], we **cannot** do **anything**.
[　　]なしでは、私達は何もできません。

例

・水：water　・電気：electricity　・食料：food

〈**2**〉次の日本語の文の意味になるように[ ]の中に言葉を入れ、英文を完成させましょう。

1. メガネがなくては何も見えません。
Without glasses, I **cannot** [see] **anything**.

2. 安全に住める場所がなくては、幸せに生きることはできません。
Without a safe place to stay, we **cannot** [live happily].

3. 技術の進歩がなくては、人生を楽しむことはできません。
Without technological advances, we **cannot** [enjoy our lives].

4. 携帯電話がなくては仕事ができません。
Without my cellphone, I **cannot** [do my job].

5. お金がなければ夢を追いかけることはできません。
Without money, I **cannot** [pursue my dream].

Mastering Process

033

> ことわざにあるように、「お金ですべてを買うことはできません」。

As the proverb goes, / " **Money cannot buy** / everything."

ことわざにある通り / 「お金で買うことはできない / すべてを」

as the proverb goes,
ことわざにある通り、

proverb は「ことわざ」。この場合の動詞は go が一般的。ことわざを根拠に持ってきて主張をサポートする時に使えるフレーズ。ことわざを使う時には、日本語のことわざを英訳して意味が通じるか、かえって混乱させないかなど、効果的に機能するかを必ず意識して使おう。あらかじめ、サポートとして使えそうな英語のことわざを丸暗記しておくと便利。

"Money cannot buy 〜 ."
「お金で〜を買うことはできない。」

Money cannot buy everything. は「お金よりも大事なものがある」という主張をする時に役立つことわざ。I cannot buy anything.（私は何も買うことができない。）と混同することがないように、2つの文を比較して覚えよう。

Vocabulary

□ **everything**：代すべて、みな。every の後には名詞の単数が続く。

③反対の選択肢を否定する

練習問題

次の日本語の文の意味になるように［　］の中に言葉を入れ、英文を完成させましょう。

1. ことわざにある通り、「［幸せ］はお金では買えません」。
   As the proverb goes, " **Money cannot buy** [happiness]."

2. ことわざにある通り、「［真実の愛］はお金では買えません」。
   As the proverb goes, " **Money cannot buy** [true love]."

3. ことわざにある通り、「［友情］はお金では買えません」。
   As the proverb goes, " **Money cannot buy** [friendship]."

4. ことわざにある通り、「［健康］は富に勝る」。
   As the proverb goes, " [Health] is better than wealth."

5. ことわざにある通り、「［経験はお金を出して買うものだ］」。
   As the proverb goes, " [Experience must be bought.]"

※「早くする方が良い」「ゆっくり着実にする方が良い」という主張をサポートする時に便利なことわざを覚えよう。

・「ゆっくり着実にすることの方が、早くすることよりも良い」と主張する場合：
　ことわざにある通り、「着実なものがレースに勝つ（＝急がば回れ）」。
　As the proverb goes, "Slow and steady wins the race."

・「早くする方がゆっくり着実にすることよりも良い」と主張する場合：
　ことわざにある通り、「時は金である」。
　As the proverb goes, "Time is money."

Mastering Process

034

友達をだますなんて、想像もできません。

I cannot even imagine / deceiving a friend.

私は想像さえできない / 友達をだます

not even ~
~でさえない

強い否定を表す。cannot even imagine で「想像すらできない」「絶対にありえない」という意味。副詞 even には「平等」という意味もあるが、否定形と一緒に使われた場合には not を強調し、「決して~ない」の意味になる。日常会話では、It's not even funny.（面白くも何ともない。）、Don't even think about it.（それは絶対にダメ。＝考えることすらするな。）、I bet you don't even know what really happened.（本当に起こったことを知りもしないんだと思うわ。）のように頻繁に使われる。

imagine [動名詞(動詞の-ing形)]
[動詞] することを想像する

imagine の後ろには前置詞を置かないことを覚えておこう。同義に think about ~がある。imagine（想像する）は、think に比べ、実現する可能性が低い事象との組み合わせで使われることが多い。よって imagine の後に普通には起こりえない事実を動詞の過去形で示し、「現実には起こりえないだろうが想像してください」の意味になる。例えば、Please imagine you were talking with a famous actor.（[ありえないことですが] 有名な俳優と話していると想像してください。）といった具合だ。

Vocabulary

☐ **deceive**：動 だます。I have been deceived.（裏切られた。）と言うと、同じ「だます」の意味の trick の文、I have been tricked.(うっかりだまされちゃった。)よりも悪意が強い。

③反対の選択肢を否定する

練習問題

不動産屋に自分が住みたい物件の条件を強い言い方で明確に伝えましょう。次の日本語の文の意味になるように［　］の中に言葉を入れ、英文を完成させましょう。

1. 私は［駅の近くに］住みたいです。
　　［駅から遠くに住む］なんて想像すらできません。
　　I want to live [close to a station].
　　I can**not even** **imagine** [living far away from one].

2. 私は［広い一戸建て］に住みたいです。
　　［狭い賃貸の部屋に住む］なんて想像すらできません。
　　　　　　　　　　　　　＊一戸建て : townhouse　　＊賃貸の部屋 : apartment
　　I want to live [in a spacious townhouse].
　　I can**not even** **imagine** [living in a small apartment].

　※ mansion（マンション）は英語では「豪邸」の意味。

3. 私は［新築の部屋に］住みたいです。
　　［古いところに住む］なんて想像すらできません。
　　I want to live [in a newly built apartment].
　　I can**not even** **imagine** [living in an old one].

　※ I want to live in a new apartment. としても間違いではないが、自分にとって新しいアパート、すなわち引っ越して新しいところに住みたい（新築ではなくても）という意味にもとれる。

Mastering Process

035

劇場に行くと、たくさんお金がかかるので、好きではありません。

Going to the theater / costs a lot of money / so I would not like it .

劇場に行くのは / たくさんのお金がかかる / そしてそれは好きになれない

cost ~
~がかかる

名詞 cost（経費・費用）は日本語でも使われるが、動詞は「~を失わせる」、転じて「~がかかる」の意味。目的語が2つある第4文型の形（SVOO）もとることができ、cost［人］+［物］の形で、「人が物を失う（かける）」の意味になる。例えば The mistake can cost him his grade.（この間違いで彼は成績が悪くなるかも知れない。＝この間違いは彼に彼の成績をかけさ（失わ）せるかもしれない。）と使うことができる。

would not like it
それを好きになれない

do not like it（好きではない）よりも強い意志を示したい、「どうしても好きになれない」と言いたい時に使えるフレーズ。will の過去形 would を使うと主語が固執している様子を示し、The door would not open.（どうしてもドアが開かなかった。）と表すことができる。例文の would は仮定法（今実際にはそうではないが、もしそうなったとしたら好きになれない）、あるいは固執（どうしても好きになれない）、のどちらにも解することができる。仮定法の would に関しては 062 を参照。

Vocabulary
☐ **theater**：名 劇場

③反対の選択肢を否定する

練習問題

〈**1**〉「ちょっと高い」「かなり高い」と感じて断念したことは何ですか。[　]の中に入る言葉をできるだけ多く考えましょう。

1. [　　　　] **costs** a lot of money, so I **would not like it.**
[　　　　] はたくさんのお金がかかるので、好きではありません。

例

・旅行に行くこと：Going on a trip
・高級レストラン：The fancy restaurant

2. [　　　　] **costs** a fortune, so I **would not like it.**　＊fortune: 大金
[　　　　] は大金がかかるので、好きではありません。

例

・大都市にアパートを買うこと：Buying an apartment in a big city
・私立学校に行くこと：Going to a private school

〈**2**〉「それをやったら最後、人生を賭けることになってしまうよ」と友達にアドバイスしましょう。[　]の中に入る言葉をできるだけ多く考えましょう。

[　　　　] can **cost** you your life, so you **would not like it** even if you could.
[　　　　] は人生をかけることになりうるから、できたとしてもしたくはないよね。

例

・罪を犯すこと：Committing a crime
・愛：Love

Mastering Process

036

最高級エリアに住むためには、狭くなるのは仕方がありません。

To live in a high-end area, / I have to give up space.

最高級の地域に住むためには / 私はスペースを諦めなければならない

have to ～
～しなければならない

ただ「する」のではなく、嫌なことや、それ以外に選択肢がないと感じることをする時に使うフレーズ。助動詞的に使われ、会話の中では to 以下の動詞は省略される。I don't want to study anymore. But I have to (study).（もう勉強したくない。でもしなくては。）

give up ～
～を諦める

「～」には目的を達成するために犠牲にするものが入る。類語に sacrifice（犠牲にする）がある。「～」に動詞を入れ、「～することを諦める」とする際には、give up［動名詞（動詞の -ing 形）］と動名詞が続くことを覚えておこう。また、このフレーズを使う時には give up space と諦めなければならないものを情報として伝えた後で、自分はそのことをどのように感じているかを付け加えて、自分の解釈を紹介したいところである。右ページの練習問題〈1〉のように、I have to give up space（スペースを諦めなければならない）の直後に、自分はそのことについて OK なのか NG なのかを伝える一文を入れてはじめて主張を込めた文章になる。自分の主張がなければ、単なる情報伝達で終わり、その解釈は聞き手にゆだねられるため、その情報がそれまでの主張と首尾一貫しているかが曖昧になってしまう。

Vocabulary

□ **high-end**：形最高級の ⇔ **low-end** 形最低の、低価格の

③反対の選択肢を否定する

練習問題

〈**1**〉次の質問に答えましょう。日本語の文の意味になるように [ ] の中に言葉を入れ、英文を完成させましょう。

Do you want to live in a city or in the countryside?

1. 私は都会に住みたいです。私は高級なエリアに住んで狭くなるのは [気になりません]。

I want to live in a city. To live in a high-end area, I **have to give up** space, and actually, [I am OK with that].

2. 私は田舎に住みたいです。私は高級なエリアに住んで狭くなるのは[嫌です]。

I want to live in the countryside. To live in a high-end area, I **have to give up** space, and [I would not like that].

〈**2**〉プロのスポーツ選手になるためには何を諦めなければいけないと思いますか。1つ目の [ ] の中に入る言葉をできるだけ多く考え、そのことについてあなたがどう思うのかも加えましょう。

To make a living as a professional sports player, I **have to give up** [   ], and [   ].
プロのスポーツ選手として生計を立てるには、[   ] がなくなるのはしょうがないが、[   ]。

例

- プライバシー：my privacy　・余暇：my free time
- 甘いもの：sweets

- それは嫌です：I would not like that
- それは別にかまいません：I am OK with that

Mastering Process

037

自分の計画を邪魔されるのは大嫌いです。

I hate it / when my plans get disturbed .

私はそれが大嫌いだ / 私の計画が邪魔される時

hate it when ～
～（の時）が大嫌いだ／（の時）が嫌だ

単に「好き・嫌い」と言うのではなく、「これがこうした時が好きだ・嫌いだ」と具体的に情報を示すことができるフレーズ。it は形式的な目的語で、実際には when 以下の内容を指している。

　I like rain.（雨が好きだ。）
　→ I like it when it rains.（雨が降る時が好きだ。）
　I hate rain.（雨が大嫌いだ。）
　→ I hate it when it rains.（雨が降る時が大嫌いだ。）

get disturbed ～
～を邪魔される

disturb は「邪魔する」という意味。get disturbed ～は、be 動詞の代わりに get と過去分詞の組み合わせで受動態を表す口語的な表現。

Vocabulary

□ **hate**：動 ひどく嫌う、憎む。名詞は hatred（憎しみ）。hate crime は「人種間や宗教的な対立による憎しみが原因となった犯罪」。

③反対の選択肢を否定する

練習問題

〈**1**〉「友達」「彼女／彼氏」のどのような行動が嫌だと感じますか。[　]の中に入る言葉をできるだけ多く考えましょう。

1. I **hate it when** my friend [　　　　　　　].
   友達が [　　　　　　　] 時が大嫌いです。

例

- 私の食べ物を食べる：eats my food
- 何も言わずにお金をとる：takes my money without asking

2. I **hate it when** my girlfriend/boyfriend [　　　　　　　].
   彼女／彼氏が [　　　　　　　] 時が大嫌いです。

例

- 私のオンラインバンクの情報を調べる：
  checks my online bank information
- 私の携帯を私に聞くことなく使う：
  uses my cellphone without asking me

〈**2**〉何を邪魔された時に嫌だと感じますか。[　]の中に入る言葉をできるだけ多く考えましょう。

I **hate it when** [　　　　] **gets disturbed**.
[　　　　] を邪魔される時が大嫌いです。

例

- 睡眠：my sleep
- 勉強時間：my study time

Mastering Process

038

最も懸念しているのは、スーパーマーケットの建設が地域経済に悪影響を及ぼすことです。

My biggest concern is that / construction of the supermarket will **affect** / the local economy.

私の最大の心配事は / スーパーマーケットの建設が影響を与える / 地域経済に

(my) biggest concern is ～
最大の心配事は～

心配に思っていること、懸念されるべき事案は concern で表現できる。会話で Thanks for your concern. と言う場合、「心配してくれてありがとう」あるいは「ご心配には及びません（大きなお世話です）」というニュアンスになるので、話者の声のトーンでどちらの意味かを聞き分けよう。

A **affect** B
A が B に影響を与える

悪い影響を与える時に使われる場合が多い。同義に名詞 effect を使う A have effects on B（A が B に影響を与える）がある。影響を説明する言葉は A have positive effects on B（A が B に良い影響を与える）、A have negative effects on B（A が B に悪い影響を与える）のように、effects の直前に形容詞の形で置くとスマートに表せる。

Vocabulary
- **construction**：名 建設、建造物。動詞は construct（組み立てる、建設する）。
- **economy**：名 経済

③反対の選択肢を否定する

練習問題

次の日本語の文の意味になるように、[ ]の中に言葉を入れ、英文を完成させましょう。

1. 最も懸念していることは、[二酸化炭素排出量がビジネスの成長]に悪影響を及ぼすことです。　＊二酸化炭素：carbon dioxide　＊排出量：emission
   My biggest concern is that [carbon dioxide emissions] will **affect** [business growth].

2. 最も懸念していることは、[上司の態度がチームの生産性にどのように]影響を与えるかという点です。　＊生産性：productivity
   My biggest concern is [how the boss's attitude] will **affect** [the team members' productivity].

3. その学生の最大の懸念は、[その面接にパスするかどうか]であるべきです。
   The student's biggest concern should **be** [whether or not he can pass the interview].

4. 教授の最大の懸念は、[その証拠は違う解釈もできる]ということです。
   The professor's biggest concern is that [the evidence can be interpreted in a different way].

Mastering Process

039

ルームメイトと住むと、精神的に疲れるのではないかと心配です。

I **am afraid that** / living with a roommate / would **stress** me **out**.

私は心配だ / ルームメイトと住むことは / 私を疲れさせるだろう

[人] be afraid that [好ましくないこと]

[人] が [好ましくないこと] ではないかと思う／心配する／恐れる

that の後には好ましくない事態、状態を入れる。会話文に見られる I'm afraid so.(残念だけど、そうだと思うよ。)、I'm afraid not.(残念だけど違うと思うよ。) はリスニングの問題で頻出するので覚えておこう。

stress [人] out

[人] を疲れさせる

人にストレスをたくさん与えてヘトヘトにさせるイメージ。me / her / him / them などの人を表す代名詞(目的格)の時は stress と out の間に入れ、それ以外は stress out [人] とする。

- ○ My parents stress out my husband.
- ○ My parents stress him out.
- × My parents stress out him.

Vocabulary

☐ **roommate**: 名 ルームメイト。大学の寮 (dorm) は2人部屋、4人部屋など、ルームメイトと一緒に住むタイプが多い。キャンパスシチュエーションの問題では、ルームメイトに関する話題は多い。

③反対の選択肢を否定する

練習問題

次の 1.～4. の2つの選択肢のうち、あなたがやりたくない方を [　] の中に入れ、英文を完成させましょう。

1. [一人で勉強すること・集団で勉強すること]
例
　I **am afraid that** [studying alone / studying in a group] would **stress** me **out** .

2. [物事を急いでやること・物事をゆっくりやること]
例
　I **am afraid that** [doing things in a hurry / doing things slowly] would **stress** me **out** .

3. [新しい所を訪ねること・一か所にじっとしていること]
例
　I **am afraid that** [visiting new places / staying in one place] would **stress** me **out** .

4. [毎日何を着るか決めること・毎日学校の制服を着ること]
例
　I **am afraid that** [choosing what to wear every day / wearing the school uniform every day] would **stress** me **out** .

Mastering Process

040

全体の不利益の方が利益よりも大きいです。

The **overall** disadvantages / **outweigh** the advantages.

全部の不利な点は / 利益をしのぐ

overall ~
全部の~

上の文では「小さい不利な点をすべて足していくと全体としては」というニュアンスが出せる。ポイントは、全否定ではなく、advantage もあると認めた上で disadvantage の方が多いと、一部譲歩した主張になっているところである。067 の in the long run（長い目で見ると）と同様に、1つ1つの事象では利益になることも不利益になることもあるだろうが、全体としては不利益の方が多い、とバランスが取れた主張になる。

A outweigh B
AがBをしのぐ／AがBより重大である

005 の A is more important than B の言い換えに使える。提示されたトピックに関して、良いところもあると認めた上で、ただし比較するとこのような結果になる、と論理的に主張を展開していこう。

POINT 選択肢が2つ与えられたり、賛成・反対を聞かれたりする問題では、2つの事象を比較しながら論理展開をする力が問われる。よって、比較検討に関わる英語表現を身に付けることが得点アップへの近道になる。

Vocabulary

☐ **advantage**：名 利益、長所 ⇔ **disadvantage**：名 不利益、短所

③反対の選択肢を否定する

練習問題

次の1.〜7.の「ネガティブなこと」が「ポジティブなこと」を上回る文にしましょう。[ ]の中に言葉を入れ、英文を完成させましょう。

1. 悪いこと・いいこと
   The overall [negatives] **outweigh** [the positives].

2. 問題・利益
   The overall [problems] **outweigh** [the benefits].

3. 費用・利益
   The overall [costs] **outweigh** [the benefits].

4. 危険・利益
   The overall [risks] **outweigh** [the benefits].

5. 損害・利益
   The overall [minuses] **outweigh** [the pluses].

6. 失うもの・得るもの
   The overall [losses] **outweigh** [the gains].

7. 犠牲・結果
   The overall [sacrifices] **outweigh** [the outcomes].

Mastering Process

041

> システムをアップグレードすれば、サイバー攻撃のリスクは最小限で済みます。

Upgrading the system / will minimize the risk of cyberattack.

システムをアップグレードすることは / サイバー攻撃のリスクを最小限にする

minimize ~
~を最小限にする

「~」には良くないことを入れ、「良くないことを最小限にとどめる」効果をアピールする時に使えるフレーズ。危険が完全になくなるとは述べないことで、現実的な理論に基づく判断になり、意見の妥当性が増す。反対語の「良いことを最大限に伸ばす」maximize（014参照）も、一緒に覚えよう。

the risk of~
~の危険／~のリスク

日本語のリスクと同じ意味で、起こりうる危険を表す時に使う。「リスクを取る」は take a risk の他に run a risk と表現することもできる。また、the risk of の後に動詞を続けるときには動名詞の形にする。例えば、Sometimes everyone has to run the risk of hurting someone's feelings.（時に、誰もが他の人の感情を傷つける危険を冒さなくてはならない。）といった形になる。

Vocabulary
- **upgrade**：動 格を上げる ⇔ **downgrade**（格を下げる）
- **cyberattack**：名 ネットワークに対する攻撃。cyber が付く単語 cybercrime（インターネットを使った犯罪）や cyberbullying（ネット上のいじめ）なども一緒に覚えよう。

③反対の選択肢を否定する

練習問題

〈1〉保健衛生活動において、どのような行動が、どのようなリスクを最小限にすることができるでしょうか。次の日本語の文の意味になるように[ ]の中に言葉を入れ、英文を完成させましょう。

1. [手を洗うこと]は[ウイルスをもらう危険]を最小限にします。

＊ウイルス：viruses

[Washing your hands] will **minimize the risk of** [getting viruses].
※手を洗えば、絶対にウィルスが体内に入らないと主張しているわけではない。

2. [ワクチンを接種すること]は[感染の危険]を最小限にします。

＊ワクチン：vaccination　＊感染：infection

[Getting a vaccination] will **minimize the risk of** [infection].
※ワクチンを受ければ絶対に感染しないと主張しているわけではない。

〈2〉履修コースを落とす危険を最小限にするためにできることは何でしょうか。[ ]の中に入る言葉をできるだけ多く考えましょう。

[　　　　　　] will **minimize the risk of** failing the required course.
[　　　　　　]は、その必須科目を落とすリスクを最小限化にします。

例

・一生懸命勉強すること：Studying hard
・よいレポートを書くこと：Writing a good paper
・全ての宿題を締め切り前に出すこと：
　Submitting all the assignments on time

Mastering Process

042

検閲は、表現の自由に対する脅威となりえます。

Censorship could be / a threat to / freedom of expression.

検閲はなりうる / 〜に対する脅威 / 表現の自由

could be 〜

〜になりうる／〜になることができる／〜になることがある

「必ずそうであるとは限らないけれども、そうなるかもしれない」と言う時に使う。新しい見方を示す時にも使えるフレーズ。007 の can be「(確実にそうかはわからないが) なりうる」が過去形 could be になることで、さらに確実性は薄まる。少ないがその可能性がゼロではない、と主張する文になる。

a threat to 〜

〜に対する脅威

数えられる名詞として a threat とする。Censorship is bad for freedom of expression.（検閲は表現の自由に対して良くない。）からボキャブラリーのレベルを上げ、Censorship could be a threat to freedom of expression.（検閲は表現の自由に対する脅威となりうる。）とすることで、より具体的な提示ができる。

Vocabulary

- **censorship**：名 検閲
- **freedom of expression**：名 表現の自由。アメリカにおける権利意識を表す熟語として TOEFL テストでよく使われる。

③反対の選択肢を否定する

練習問題

次の文の主語は、何への脅威となりえますか。[　]の中に入る言葉をできるだけ多く考えましょう。

1. Smartphones **could be a threat to** [　　　　　　　].
   スマートフォンは [　　　　　　] への脅威となりえます。

> 例

- コミュニケーション：communication
- 人間の脳：human brains
- 個人のプライバシー：individual privacy

2. Online shopping **could be a threat to** [　　　　　　　].
   オンラインショッピングは [　　　　　　] への脅威となりえます。

> 例

- 地域経済：the local economy
- コミュニケーション網：the communication network
- 既存の店：existing shops

3. Trade conflicts **could be a threat to** [　　　　　　　].
   貿易摩擦は [　　　　　　] への脅威となりえます。

> 例

- 経済成長：economic growth
- 協調関係：cooperative relationships
- 地域経済：the local economy

Mastering Process

043

多くの人の前でプレゼンすることは、あまり得意ではありません。

I am not very good at / giving a presentation / in front of a large audience.

私はあまり得意ではない / プレゼンテーションをすることが / 大きな観衆の前で

not very good at 〜
〜があまり得意ではない

やんわりと苦手なことを表す時に使える。日常会話でもよく耳にする表現なので覚えておこう。日本人は本当はできることでも「できない」と謙遜する傾向がある。だが、明確に「できない」と断言した文の後であいまいな意見が続くと、受け手は混乱する。解答全体としてのバランスを取るために、I am bad at 〜（私は〜が苦手です）のような極端な表現を避けよう。

in front of 〜
〜の前で

場所を表す言葉、behind（後ろで）、on the right（右に）、on the left（左に）などと一緒に覚えよう。

Vocabulary

☐ **audience**：名 観衆。an audience で多くの人が集まった聴衆の意味。

③反対の選択肢を否定する

練習問題

〈1〉苦手なことをやんわり伝えましょう。[ ] の中に入る言葉をできるだけ多く考えましょう。

I am **not very good at** [   ].
[   ]はあまり得意ではありません。

例
- 社交的に振る舞うこと：socializing（パーティーなどでいろんな人と話し、うまく立ち居振舞うこと）
- 料理すること：cooking
- 考えをまとめること：organizing my ideas
- 数学：mathematics

〈2〉次の日本語の文の意味になるように [ ] の中に言葉を入れ、英文を完成させましょう。

1. ［カメラの前で喋ること］はそんなに得意ではありません。
I am **not very good at** [speaking in front of a camera].

2. ［他の人と交渉をすること］があまり得意ではありません。
I am **not very good at** [negotiating with others].

3. ［たくさんの人の前で立つこと］は得意ではありませんでした。
I was **not very good at** [standing in front of many people].

4. ［英語で自分を表現すること］があまり得意ではありませんでした。
I was **not very good at** [expressing myself in English].

Mastering Process

044

議長と委員会を説得しようとするなんて、時間の無駄です。

Trying to **convince** the chairperson and the committee / will be **a waste of** time.

議長と委員会を説得しようとすることは / 時間の無駄になるだろう

convince [人]
[人] を説得する

talk はただ話す行為、convince は自分の意見を通すために相手の考えを変える目的をもって talk すること。類義に persuade がある。

a waste of ～
～の無駄

後に続く語でよく使われる語の組み合わせ、a waste of time（時間の無駄）、a waste of money（お金の無駄）、a waste of energy（エネルギーの無駄）は必ず覚えておこう。動詞としての waste は、Don't waste your time on the guy.（その男に無駄に時間をかけるのはやめなさい。）のように使う。waste だけで「無駄、浪費」の意味になるので、感嘆文 What a waste! と言えば、「なんたる浪費だろう！」、転じて「もったいない」のニュアンスになる。

Vocabulary

☐ **chairperson**：名議長
☐ **committee**：名委員会

③反対の選択肢を否定する

練習問題

〈**1**〉次の日本語の文の意味になるように［　］の中に言葉を入れ、英文を完成させましょう。

1. 新しい車を買うには［両親を説得しなければなりません］。
　［I have to convince my parents］to buy a new car.

2. 報酬を上げてもらうには［会社を説得しなければなりません］。
　［I have to convince my company］to give me a raise.

〈**2**〉どんなことをすることが時間の無駄だと思いますか。［　］の中に入る言葉を考えましょう。

　［　　　　　　　　　　　］will be **a waste of** time.
　［　　　　　　　　　　　］時間の無駄です。

例
　・真実の愛を探そうとするなんて：Trying to find true love

〈**3**〉どんなことをすることがお金の無駄だと思いますか。［　］の中に入る言葉を考えましょう。

　［　　　　　　　　　　　］will be **a waste of** money.
　［　　　　　　　　　　　］お金の無駄です。

例
　・ブランド品のバッグを買うなんて：Buying designer bags

Mastering Process

045

その海外実地見学は、(コースを受ける) 学生にとってつらすぎます。

The overseas field trip requires students / to put too much effort into the course.

その海外実地見学は学生に求める / コースで過度にがんばることを

require [人] to [動詞]

[人] に [動詞] することを求める

動詞 require（求める、強制する）は TOEFL 頻出単語。名詞 requirement（必要条件）、minimum requirement（最低必須条件）も頻出するので覚えておこう。

too much ～

多すぎる～／過度の～

そのレベルが度を越えているという判断は強力な否定のサポート材料になる。このフレーズをうまく使って、説得力のある文を作ろう。

Vocabulary

□ **put effort into**：日本語で言えば「～をがんばる」。類語に try my best（ベストを尽くす）などの言い方がある。

□ **field trip**：名 実地見学、旅行、遠足。学校外での学びを目的とした（移動を伴う）もの全般を指す。3時間程度の短い遠足から、研究などで一定期間海外に行くものまで期間はさまざま。

③反対の選択肢を否定する

練習問題

〈1〉次の英文を、キーフレーズを使った文に言い換えましょう。

1. I have to put **too much** effort into finishing the assignment.
   その宿題を終えるために、かなりがんばらなくてはいけません。
   → [The assignment requires me to put too much effort].

2. I have to put **too much** effort into keeping my girlfriend.
   僕の彼女はあまりに手がかかります。
   → [My girlfriend requires me to put too much effort].

3. My mother puts **too much** effort into saving money.
   私の母はお金を節約するために、かなり努力しています。
   → [Saving money requires my mother to put too much effort].

4. My father puts **too much** effort into keeping our yard beautiful.
   私の父は庭をきれいに保つのに、かなり努力しています。
   → [Keeping our yard beautiful requires my father to put too much effort].

〈2〉最近「これ、キツイな」と思ったことは何ですか。[ ]の中に入る言葉をできるだけ多く考えましょう。

[　　　　　　　] **required** me **to** put **too much** effort into preparing it.
[　　　　　　　]の準備をするのは、かなりキツかったな。

例
- 昨日の営業会議：Yesterday's sales meeting
- マーケティングの発表：The marketing presentation
- TOEFLテスト：The TOEFL test

Mastering Process

046

過度な量の二酸化炭素は、我々の環境を破壊します。

The excessive amount of carbon dioxide / **damages** our environment.

過度な量の二酸化炭素 / 我々の環境を破壊する

the excessive amount of ~

過度な量の~

=too much。数えられる名詞には too many ~ を使う。何事もやり過ぎは良くないことだと、批判する時に使える。適度ならば良いが、過度な場合は好ましくない、とバランスを保った意見となる。

damage ~

~に損害を与える/~を傷つける/~を破壊する

名詞 damage は日本語のダメージ（損害）とほぼ同じ意味。発音 [dǽmɪdʒ] に注意しよう。動詞も同じ形で damage、受け身形 get damaged（傷つけられた）という表現でも使える。類語の動詞 destroy は「破壊する」と、damage より損害の程度が大きい。

Vocabulary

□ **carbon dioxide**：名 二酸化炭素。環境問題がテーマの時に頻出する。「排出」emission、「排出量」emissions、「酸性雨」acid rain なども一緒に覚えよう。

③反対の選択肢を否定する

練習問題

「糖分」や「テレビを見る時間」、「ゴミ」が過度に増えた場合、何にダメージを与えると思いますか。[ ]の中に入る言葉をできるだけ多く考えましょう。

1. **The excessive amount of** sugar intake **damages** [   ].
   糖分を取りすぎは [   ] を破壊します。

例

- 私達の歯：our teeth
- 私達の食生活：our eating habits
- 私達の生活習慣：our lifestyle

2. **The excessive amount of** TV viewing **damages** [   ].
   テレビの見すぎは [   ] を破壊します。

例

- 私達の家族のコミュニケーション：our family communication
- 私達の視力：our eyesight
- 私達の睡眠習慣：our sleeping habits

3. **The excessive amount of** garbage **damages** [   ].
   過度のゴミは [   ] を破壊します。

例

- 私達の共同体：our community
- 私達の国：our country
- 私達の将来：our future

Mastering Process

047

急激な変化は、共同体意識を駄目にするでしょう。

The radical change / will spoil / a sense of community.

急激な変化は / 駄目にするだろう / 共同体意識を

spoil 〜
〜を駄目にする／〜を甘やかす

A spoil B で「A が B を駄目にする」の意味。a spoiled child（甘やかされた子供）のように、働きかける側にとってはそのつもりがなくとも結果として相手や対象が駄目になってしまう場合に使う。反対に a spoiler は「他人が楽しみにしていることを駄目にする人」、例えばまだ見ていない人に対して映画やドラマの結末をバラす人のことである。

a sense of 〜
〜の意識／〜感

日本語の「センス」とは異なり、「感覚」や「意識」の意味。英語で「センスが良い」という時は taste（味）を使い You have good taste in fashion. のように表す。「第六感」は sixth sense。また、人の倫理観に関係するところでは sense of cooperation（協調意識）と sense of competition（競争意識）が対で使われ、どちらを重視すべきか、という議論も考えられる。

Vocabulary
- **radical**：形 急激な、急進的な
- **community**：名 共同体

③反対の選択肢を否定する

練習問題

〈1〉 何を受け取った時に達成感(a sense of accomplishment)を感じますか。[　]の中に入る言葉をできるだけ多く考えましょう。

I feel **a sense of** accomplishment when I receive [　　　　].
[　　　　] を受け取った時に達成感を感じる。

例

- 良い成績：a good grade
- 給料：my paycheck
- 御礼の言葉：thank you messages

〈2〉 達成感をせっかく感じていたのに、駄目にした要因は何ですか。[　]の中に入る言葉をできるだけ多く考えましょう。

[　　　　] **spoiled my sense of** accomplishment.
[　　　　] が私の達成感を駄目にした。

例

- その教授の軽率な言葉：The professor's careless words
- 上司の横柄な態度：The boss's arrogant reaction

Mastering Process

048

> 志望動機書の仕上がりが悪ければ、出願手続きが駄目になったり遅れたりすることもあります。

A poorly written statement of purpose can jeopardize / and delay / your application process.

出来が悪いエッセイは危険にさらす / そして遅らせる / あなたの申し込み過程を

jeopardize ～
～を危険にさらす

大げさな印象を与えるので、あまり小さな事柄には使わない方がいい。同義の put it at risk（危険な状態にする）の言い換えにも使える。発音は [dʒépɚdàɪz] で、je の後ろの o は発音されないので注意。

delay ～
～を遅らせる

似た言葉をまとめて覚えよう。「交替でする、リレーする、中断する」は動詞 relay、「遅い」は形容詞 late。delay は受け身形で使われることが多い。

I was late for class.（私は授業に遅れた。）
The train was delayed.（電車が遅れた。）

Vocabulary

□ **statement of purpose**：图 志望動機書（エッセイ）。略称 SOP（エスオーピー）。その大学、大学院で何をやりたいのかを具体的に書く書類。私費留学の場合、TOEFL テストで納得のいく点数が取れたら、この志望動機書を書く段階に移るので、必ず出会う言葉だ。

③反対の選択肢を否定する

練習問題

次の下線の部分は何にとってマイナスでしょうか。日本語の文の意味になるように [ ] の中に言葉を入れ、英文を完成させましょう。

1. 喫煙はあなたの［健康］を危険にさらします。
Smoking cigarettes can **jeopardize** your [health].

2. ハウスダストはあなたの［気管支の健康］を危険にさらします。
House dust can **jeopardize** your [respiratory health].

3. お酒はあなたの［回復］を遅らせます。
Alcohol can **delay** your [recovery].

4. 賄賂は［経済発展］を遅らせます。
Corruption can **delay** [economic development].

5. 嘘をつくことはあなたの［人間関係］を駄目にします。
Lying will **jeopardize** your [relationships].

6. 浮気した後に家族を見捨てることはあなたの［評判］を危険にさらし、［出世］を遅らせます。
Leaving your family after you have cheated can **jeopardize** your [reputation], and **delay** your [promotion].

Mastering Process

049

> どんなに注意をしていても、インターネットは幼児にとって悪影響の方が大きいです。

Even with caution, / the Internet does more harm than good / to toddlers.

慎重な注意をもってしても / インターネットは良いことより悪いことの方が多い / 幼児にとって

even with ~
~をもってしても／~と一緒であっても

「~」には後に続くことの効果を和らげると通常考えられることを入れる。

does more harm than good to [人・物]
[人・物] にとって良いことよりも悪いことの方が多い

良いこともあるだろう、しかし比べた時に悪いことの方が大きいという論理展開の時に使うフレーズ。自分とは反対の意見にも一定の理解を示した上で、自分の主張の根拠を示すときに使おう。

Vocabulary

□ **the Internet**：名 インターネット。固有名詞扱いなので大文字で始める。網の目状に張りめぐらされたネットワーク全体を指して、唯一の存在という意味で the を付ける。

□ **toddler**：名 幼児。動 toddle「よちよち歩く」から派生した名詞。人間の成長に合わせた呼び名は以下の通り。明確な基準はなく重なる部分もある。

```
─baby─
    ─toddler─        ─preteen─           ─teenager─
0  1  2  3  4  5  6  7  8  9  10  11  12  13  14  15  16  17  18  19
```

＊ kid / child（親との関係の中での子供）、adolescent（思春期の青年）、youth（若者）

③反対の選択肢を否定する

練習問題

〈1〉次の日本語の文の意味になるように、英訳しましょう。

1. 教授の助けがあっても、その仕事がもらえませんでした。

Even with the professor's help, I could not get the job.

2. たとえあなたと一緒でも、幸せが見つけられません。

Even with you, I cannot find happiness.

〈2〉学校にとって、良いこともあるが悪いことの方が多いと言えることは何だと思いますか。[　]の中に入る言葉をできるだけ多く考えましょう。

[　　　　　　　　　] **does more harm than good to** the school.
[　　　　　　　　　] は学校にとって悪影響の方が大きいです。

例

- 授業料を増やすこと：Increasing tuition
- コースの履修条件を変えること：Changing the course requirements
- 新しい図書館を建てること：Building a new library

〈3〉社会にとって、良いこともあるが悪いことの方が多いと言えることは何だと思いますか。[　]の中に入る言葉をできるだけ多く考えましょう。

[　　　　　　　　　] **does more harm than good to** society.
[　　　　　　　　　] は社会にとって悪影響の方が大きいです。

例

- 多すぎる税金を課すこと：Too much taxation
- 規制が多すぎること：Too much regulation
- 多すぎる車：Too many cars

Mastering Process

050

その仕事を終わらせるには、我が社には資源が足りません。

My company's resources are not enough / to complete the task.

私の会社の資源は十分ではない / その仕事を仕上げるのに

not enough
十分ではない

できないことに対して具体的な理由を挙げる時に使えるフレーズ。上の文では、because を使わずに、1）会社がそのタスクをやり遂げられなかったこと。2）その原因は何であるか、を示している。

complete ~
~を完了する／~を仕上げる

「~」には I completed my English homework.（英語の宿題を終えた。）のように、終わり（完成したり、完結したりすること）のあるものがくる。そのもの自体に終わりがない English などにすると、when I complete English のように非常に違和感があるので、complete の代わりに、例えば master（修得する、使いこなす）を使って、when I master English などとしよう。

Vocabulary

☐ **resources**：名 資産、資源。natural resources（天然資源）、human resources（人材）なども一緒に覚えよう。

③反対の選択肢を否定する

練習問題

〈**1**〉次の日本語の文の意味になるように、英訳しましょう。

1. すべてのプロジェクトをやり終えるためには予算が十分ではありません。

＊予算：budget

The budget was not enough to complete all of the projects.

2. 謝って済む問題じゃありません。
⇒謝罪することは問題を解決するのに十分でない。
Apologizing is not enough to fix the issue.

3. 1か月のアメリカ滞在では英語はそんなにうまくなりませんでした。
⇒1か月アメリカに滞在することは私を英語で流暢にするのに十分でなかった。
Staying in the United States for one month was not enough to make me fluent in English.

〈**2**〉次に挙げることについて「1日10分で〜するには不十分だ」という文を作りましょう。[　]の中に言葉を入れ、英文を完成させましょう。

1. 外国語として英語を十分に使えるものにすること
10 minutes a day is [not enough to master English as a foreign language].

2. 体の調子を完全に変えること
10 minutes a day is [not enough to change your physical condition completely].

3. プロの運動選手になること
10 minutes a day is [not enough to become a professional athlete].

Mastering Process

キャンパス基礎用語

スピーキングセクションのキャンパスシチュエーションの問題では、大学構内で使われるボキャブラリーがたくさん出てきます。よく使われる単語を大学生活の大まかな流れと一緒に覚えておきましょう。

●大学の仕組み

典型的なアメリカの college/university（大学）の流れです。

▶ freshman（1年生）: required subject（必修科目）を取る

▼

▶ sophomore（2年生）あるいは junior（3年生）になる頃:
major（主専攻科目）と minor（副専攻科目）を決める

▼

▶ senior（4年生）: 卒業に必要な requirement（要件）を満たしているか確認しながら、thesis（卒論）提出

▼

▶ commencement（卒業式）を経て bachelor's degree（学士）を取得

より専門分野を深めたい場合、

▶ graduate school（大学院）に進む
▶ 再度 thesis（この場合は修士論文）を提出した場合、master's degree（修士）を取得
▶ その後は doctoral program（博士課程）で研究を深め、dissertation（博士論文）を提出した場合、doctor's degree（博士）を取得
  ＊ doctor's degree は Ph.D.（読み方「ピーエイチディー」）と呼ばれることもある。

●授業

semester（学期）が始まる前にどの class（授業）を取るかを決め、register/sign-up（登録）します。学期が始まってからのおよそ2週間は、一度授業を受けてから最終的に履修科目を決めるために add（追加）や drop（中止）することが認められているお試し期間があります。最終的な時間割が決まれば、mid-term paper（学期の中間レポート）、pop quiz（抜き打ちテスト）、final exam（最終試験）などを経て、

単位（credit）が取れれば、A 〜 C の grade（成績）がつきます。「A⁺」（エープラス）が最高、「F」は fail で credit がもらえず、卒業に必要な単位としてカウントされないので、それだけは避けたいですね。成績評価項目の1つに participation（参加度）があり、授業中の発言が重要になることもあります。授業の後半に行くとどんどん議論がヒートアップしていくので、そこを割って入って自分の意見を言うのはかなり度胸が必要です。慣れないうちは議論の最初に意見を言って逃げ切るのも手です。留学先ではしっかりと requirement を確認し、diploma（卒業証書）を手にしてください。

●日常生活

住むところは on-campus（キャンパス内）の dormitory（寮）に入る、あるいは off-campus（キャンパス外）に studio（ワンルーム）を借りる、あるいは2 bedroom（2LDK）や townhouse（一軒家）を借りて、友達と share する、などの方法などがあります。roommate（ルームメイト）や landlord（大家）とのトラブルは実生活でもよく起こるため、TOEFL テストでもよく出題されます。off-campus に住む場合、car か shuttle bus で通学します。アメリカは車社会、多くの州で16歳から運転できますし、高校にも大学にも広大な parking lot（駐車場）が併設されています。他の campus facility（施設）としては、24時間オープンの library（図書館）があったり、gym（運動施設）や laundry room（洗濯室）があります。待ち合わせをする時には laboratory（研究室）と lavatory（トイレ）を言い間違えないように気をつけましょう。

Chapter 4

理由につながる事例を挙げる

主張、理由(根拠)を述べた後では、主張の文をサポートする事例(example)を挙げます。事例を挙げる時には、その事例に対する自分の意見と理由を加えます。本章の事例を挙げるフレーズを使って、過去に起こった出来事、習慣としている行動など、普段の生活に関する事柄を、自然な英語で伝える練習をしましょう。

051

私の上司は毎朝、部下全員に営業目標を大きな声で言わせます。

Every morning, / my boss has all of his team members / state the sales goals / out loud .

毎朝 / 私の上司は部下全員を〜させる / 営業目標を言う / 大きな声で

every morning
毎朝

具体的な時と頻度を示す言葉を使うことで、細かい情報を伝える能力があることを示すことができる。頻度を示す他の言葉も覚えておこう。once a week（1週間に1回）、every other day（1日おきに）、always（009参照）など。

［動詞］［物］out loud
大きな声で［物］を［動詞］する

「大きな声で本を読む」は read the book out loud。丸ごと覚えて語順をマスターしよう。「大きな声で大事なところを復唱する」は repeat the important point out loud。

Vocabulary

□ **boss**：名 上司。会社で上司を表す最も自然な言い方。my immediate boss（直属の上司）、my big boss（上司の上司）などの言い方も覚えておこう。軍隊のような厳しい規律のもとでの「上官」superior(s) は「目上の人」という意味でも使われる。「権力者、権威」という意味の authority も TOEFL テスト頻出単語。

□ **team member**：名（上司との関係において）部下。集合名詞 staff（スタッフ）も使えるが、stuff（物）と聞き間違えられることもあるので、特にスピーキングの解答では team member(s) の方が安全。subordinate(s) も使われる。

④理由につながる事例を挙げる

練習問題

①〜②の手順で、次の質問に答える事例とその後に続く意見、その理由につなぐ文を作りましょう。あなたが学生であれば、boss を teacher に、team members を students に置き換えて考えましょう。

> Which action do you think is necessary for a good boss; to trust his/her team members or to micromanage them?
> よい上司であるために必要な行動はどちらだと思いますか。部下を信じること、それとも部下を管理すること。

① 次の［　］の中に入る言葉を考え、会社／学校の日課を簡単に伝える文を完成させましょう。

　　Every morning, my boss/teacher always has all of his/her team members/students [　　　　　].

例 ・1日の予定表を提出させる：submit their daily schedules

② 上司／先生の①のような行動を良いと思いますか。良くないと思いますか。［　］の中に入る言葉を考えましょう。

・良いと思う場合

　　I [　　　　　　　　　　　　　　　　　　　].

例 ・みんなの計画を知るためのいい手段だと思います：
　　think it is a good way to understand everyone's plans

・良くないと思う場合

　　I [　　　　　　　　　　　　　　　　　　　].

例 ・好きではありません。私達を子ども扱いしているように感じます：
　　do not like it. I feel that he is treating us like children

Mastering Process

052

同僚の1人が監督官に見方を変えることを提案します。

One of my colleagues **suggests** that / our supervisor / change his viewpoint.

同僚の1人が提案する / 我々の監督官に / 見方を変えることを

one of [名詞の複数形]
[名詞]の中の1つ

「たくさんある中の1つ」という意味。上の文では、私には colleagues がたくさんいるが、その中の1人だという付加情報を含ませることができ、正確な情報を伝えられていると印象づけている。最上級と一緒に使う one of the best（最も良い中の1つ）という表現もあるので覚えよう。

suggest that [人・物][動詞]
[人・物]に[動詞]することを提案する

[人・物]の後には[動詞の原形]が続く。動詞の前に to は不要。suggest の用法は want [人] to do と異なるので、この2つは分けて覚えること。

○ He suggests that the university change its curriculum.
× He suggests the university to change its curriculum.
○ He wants the university to change its curriculum.

Vocabulary

☐ **colleague**：名同僚。発音 [kά(ː)liːg] に注意。「コリギュー」ではない。一緒に (co-) 団結 (league) する「カリーグ」と覚えよう。
☐ **supervisor**：名監督者。（学校であれば）教科主任
☐ **viewpoint**：名見方

④理由につながる事例を挙げる

練習問題

〈**1**〉 次の日本語の文の意味になるように [ ] の中に言葉を入れ、英文を完成させましょう。

1. その手紙は [学校の図書館は閉館時間を変えるべきだ] と提案します。
 The letter **suggests** that [the school library change its closing time].

2. その記事は [学校の食堂はメニューを変えるべきだ] と提案します。
 The article **suggests** that [the school cafeteria change its menu].

3. その男子学生は [2つの解決策] を提案します。[1つめは教授と話すこと、もう一つはもっと頑張ることです]。
 The male student **suggests** [two solutions; one is to talk to the professor and the other is to try harder].

〈**2**〉 次の [ ] の中に、身近なことで「こうだったらいいな」と思うことを入れ、友達の1人が提案する文を作りましょう。

 One of my friends **suggests** that [   ].
 友達の1人が [   ] を提案します。

例

・学校に始業時間を変えること：
 our school change its starting time
・学校にインターンシップの機会を拡大すること：
 our school expand internship opportunities

Mastering Process

053

私の職務には、人事部のマネージャーとして株主に対する年間管理報告書を作ることが含まれます。

As a manager of the human resources department, / **my responsibilities include** / making an annual management report / to shareholders.

人事部のマネージャーとして / 私の責任は含む / 年間管理報告書を作ること / 株主のために

as a［肩書き・役職］
［肩書き・役職］なので／であるからには／として

役職が特にない場合は、as a member of the genetic research team（遺伝子研究チームの一員として）のように、自分の会社での「役割」を表す表現を前もって用意しておこう。

my responsibilities include ～
私の責任・職務は～を含む

自分の仕事の範囲を示す。my work is ～と言うと、その仕事しかしていない印象を与える。

POINT 自分の仕事について述べる時に、肩書きだけ、仕事内容だけを伝えるのでは採点者に伝わらず、論理的な展開の組み立ての評価項目で高得点は狙えない。上の文のように【肩書き】＋【実際の仕事内容】を合わせて伝えることで、具体的なイメージを持ってもらえる。日本の会社について知識がない人に話していることを常に意識しよう。

Vocabulary
- **manager**：名管理者。発音に注意。
- **human resources**：名人事。ＨＲ（エイチアール）と略される。
- **shareholder**：名株主

④理由につながる事例を挙げる

練習問題

①〜③の手順で、考えられる事例、その後に続く意見、理由につなげましょう。学生の場合は、所属や専攻、学ぶ際の留意点に置き換えて考えましょう。

① 次の [ ] の中に入る言葉を考え、自分の肩書きと仕事を簡単に伝える文を完成させましょう。

As a [　　　　　], **my responsibilities include** [　　　　　].
[　　　　　]、私の責任は [　　　　　] を含みます。

例

・会計チームの一員：member of the accounting team
・従業員から提出された支出を確かめること：
　checking all expenses submitted by the employees

② 次の [ ] の中に入る言葉を考え、仕事をする時に重視することを具体的に伝えましょう。

When working, [　　　　　　　　　　　].
働く時には [　　　　　]。

例

・自分の仕事に集中したいです：I want to concentrate on my work

③ 最後に、次の質問に答えましょう。

Which work environment do you prefer?
　・working as a group　・working individually
どちらの労働環境を好みますか。
　・集団で働く　・一人で働く

※① ②の文につなげるのであれば、working individually の方が論理展開しやすいだろう。

例

・1人で働く方が集団で働くよりも、力を発揮すると思います。：
　I believe that by working individually one can demonstrate one's abilities better than by working in a group.

Mastering Process

054

1年生だった時、学校のイベントに携わりました。

When I was a freshman , /
I got involved / in school events.

私が1年生だった時 / 携わった / 学校のイベントに

be a freshman
(大学、高校での) 1年生である

freshman (1年生)、sophomore (2年生)、junior (3年生)、senior (4年生) は、リスニングで頻出するので必ず覚えよう。米国では、中学校が2年制、高校が4年制という州が多いため、学年を示す言葉は大学と同様に使われる。ただし、小学校は1年生の場合、a first grader。

get involved in 〜
〜に携わる

中心となって organize (主催) する場合でも末端で少し参加する程度でも、関わりの程度に言及しないで使うことができるフレーズ。

Vocabulary

☐ **event**：名 出来事、行事。ちなみに日本の入学式や運動会にあたるものがアメリカにはない。解答時間は限られているので、イベントの内容自体が重要でない時には school event としておけばよい。

④理由につながる事例を挙げる

練習問題

次の日本語の文の意味になるように [ ] の中に言葉を入れ、英文を完成させましょう。

1. 大学3年生の時、[地域のごみ掃除] を手伝いました。
  When I **was a junior**, I **got involved in** a [community cleaning project].

2. 大学3年生の時、[先輩の研究] を手伝いました。
  When I **was a junior**, I **got involved in** [a research project organized by my friend].
  ※英語では、「先輩」と「後輩」という上下関係が重視されていないので、「先輩」を一言で表す単語はない。言葉と文化は密接に結びついており、日本語で言う「先輩」のニュアンスを伝えるためにはその文化背景から伝える必要がある。話の中でその上下関係が重要でない時には、my friend（友達）とし、話を展開させていこう。

3. 大学3年生の時、[インターンシップ] に参加しました。
  When I **was a junior**, I **got involved in** [the internship program].

応用練習

学生時代に印象深かった出来事を紹介する冒頭文を作りましょう。

  When I **was a** ＿＿＿＿＿＿, I **got involved in** ＿＿＿＿＿＿.

Mastering Process

055

例えば、私は大学で剣道部に入っています。

For example, I belong to / the kendo club at college.

例えば / 私は所属している / 大学で剣道部に

for example,
例えば、

例えを切り出す時に最もよく使われるつなぎ言葉。for instance も同じ意味。動詞形は 093 exemplify で「～を例で示す／例証する」の意味。自身の経験に基づく例を挙げることは非常に強いサポート材料にある。ただし、その例がきちんと自分の主張を裏付けるものになっているかどうか、常に意識しよう。

belong to［グループ］
［グループ］に所属している

belong to［グループ］= I am a member of［グループ］。いずれも自分の所属を示すために使う。

Vocabulary

□ **kendo**：名 剣道。日本の文化に関する単語を使う時には採点者（一般的な知識を持った人）が理解できるかを留意しよう。世界的に有名でなければ、説明を加えるか、他の具体例に変えた方が得点につながりやすい。「剣道」ならば Japanese fencing（日本版フェンシング）や ancient/traditional Japanese martial arts（日本古来の／伝統的な武道）といった具体的な説明の仕方を日頃から考えておこう。

④理由につながる事例を挙げる

練習問題

所属を示す文を作りましょう。次の1.〜4.のグループを[ ]の中に入れ、英文を完成させましょう。すでに大学を卒業している人は過去形（belonged）にしましょう。

1. 将棋クラブ

For example, I belong to [the Japanese chess club] at college/university.

2. ジャズ同好会

For example, I belong to [the Jazz club] at college/university.
※同好会も club で表現できる。

3. 交換留学生のコミュニティ

For example, I belong to [the community of foreign exchange students] at college/university.

4. 公共政策研究会

For example, I belong to [the public policy study group] at college/university.

※ research meeting（研究会）は、実際に大きな研究を行っている会合のこと。大学のグループとしての研究会であれば study group が良い。

Mastering Process

056

3年前、大きな大会に参加しました。

Three years ago , / I participated / in a big tournament.

3年前 / 私は参加した / 大きな大会に

[時] ago
[時] 前に

過去を表す言葉を使う時は、動詞は必ず過去形にすること。よく使う動詞で不規則に変化するものの過去形はとっさに出てこないことがあるので、しっかり覚えておこう。

go → went　teach → taught　catch → caught
understand → understood

participate in 〜
〜に参加する

どのような役割で参加したかは言及せず関わったことのみを示す get involved in（054参照）に対し、participate in は本来の目的を果たす立場として参加したことを示す。

I got involved in a big tournament.
→主催者だったのか、審判だったのか、競技者だったのか不明。
I participated in a big tournament.
→競技者として参加した。

Vocabulary

☐ **tournament**：名 トーナメント、大会。優勝者が決まるまでの一連の試合を指す。competition（競技会）と同義。個々の「試合」は game（団体で戦う球技など）や match（1対1で行うスポーツ）という。

④理由につながる事例を挙げる

練習問題

次の日本語の文の意味になるように［　］の中に言葉を入れ、英文を完成させましょう。

1. この間、地球温暖化についての［英語スピーチコンテストに参加しました］。
The other day, [I participated in an English speech contest] on global warming.

2. 3週間ほど前に、図書館の使い方に関する［オリエンテーションに参加しました］。
About three weeks **ago** , [I participated in an orientation] on library use.

3. 数日前、ヨガセラピーに関する［ワークショップに参加しました］。
A few days **ago** , [I participated in a workshop] on yoga therapy.

4. 3か月前、私は宝石の輸出に関する［国際会議に参加しました］。
Three months **ago** , [I participated in an international conference] on jewelry exports.

5. 3年前、どうやってもっとお金を貯めるかについての［興味深いセミナーに参加しました］。
Three years **ago** , [I participated in an interesting seminar] about how to better save money.

Mastering Process

057

その時から、毎日欠かさず剣道を練習しています。

Since then, / I **have been** / practicing kendo / every day.

その時以来 / 私はずっと〜している / 剣道を練習すること / 毎日

since 〜
〜以来

現在完了形と一緒に使う。その他、今を含めた近い過去を示すrecently、lately、these days（最近）、just（ちょうど今しがた）、already（すでに）、yet（まだ）なども現在完了形と組み合わせて使うことを覚えておこう。反対に、過去のある時点を示す語句、yesterday（昨日）、two days ago（2日前）、last night（昨晩）などがある場合、動詞は必ず過去形である。動詞の時制について、頭では理解していても、つい注意がおろそかになり本番で混乱してしまうことがある。特にライティングの時に正しい時制を選べるように、普段から意識しておこう。

have been [動詞の-ing形]
ずっと［動詞］している

現在完了形は主に「ずっと〜している（継続）」、「〜したところである（完了）」、「〜したことがある（経験）」の3つの意味を表す。状態を表す動詞（know、like、believeなど）が現在完了形しか用いることができないのに対し、動作を表す動詞（study、practice、playなど）は現在完了形だけでなく、現在そして今後も継続することを暗示する現在完了進行形を作ることができる。現在完了進行形を使うことによって「継続」の意味が強調される。

④理由につながる事例を挙げる

練習問題

次の日本語の文の意味になるように［　］の中に言葉を入れ、英文を完成させましょう。

1. 2000年から、毎年夏に、海外に行っています。
　Since［2000, I have been going abroad every summer］.

2. 高校からずっと、毎日欠かさず英語を勉強しています。
　Since［high school, I have been studying English every day］.

3. 10月からずっと、同じ部署で働いています。
　Since［October, I have been working in the same department］.

4. ここのところずっと、体の調子が悪いのです。
　Recently,［I have been feeling sick］.

5. 引っ越ししてからずっと、古い友達とはEメールで連絡をしています。
　Since I moved out,［I have been contacting old friends via e-mail］.

6. 私が引っ越ししてからずっと、両親は私にEメールで連絡をしてきます。
　Since［I moved out, my parents have been contacting me via e-mail］.

Mastering Process

058

かつては朝型でしたが、今は夜型です。

I used to be / an early bird, / but now I'm more of / a night owl.

🔊 058

私はかつては〜だった / 朝の鳥 / しかし今はむしろ〜だ / 夜のフクロウ

used to ［動詞の原形］〜

かつては〜だった／［動詞］していた

used は過去における習慣を示す動詞。今は当時とは状況が違うことを伝えることができる。発音は「ユースト」で「ユーズド」と濁らない（「使う」という意味の動詞の過去形の used の発音は「ユーズド」）。会話文で投げかけられた質問に対して I used to. とだけ答えた時には「かつてはそうだったよ（でも今は違うよ）。」という意味。前に be 動詞がつく be used to ［動名詞（動詞の -ing 形）］では「〜に慣れている」という別の意味になるので混同しないよう注意しよう。

but now

しかし今はむしろ

過去と現在で話題になっている２つの事柄の両方を経験した上で、その経験に基づき自分の意見を主張している、と論理的に展開できるフレーズ。

Vocabulary

☐ **an early bird**：朝の鳥（朝型）
☐ **a night owl**：夜のフクロウ（夜型）
☐ **more of**：どちらかというと。more A than B のパターンを使って、I'm more of a journalist than a writer.（私は作家というよりジャーナリストだ。）という言い方もできる。

④理由につながる事例を挙げる

練習問題

次の1.～3.は、現在とは異なる過去の状況です。[ ]の中に入る現在の状況を、できるだけ多く考えましょう。

1. かつては悲観主義者でした
　I **used to** be a pessimist, [　　　　　　　　　　　　].

> 例

・しかし今は楽観主義者です：but now I'm more of an optimist

2. かつては恥ずかしがり屋でした
　I **used to** be shy, [　　　　　　　　　　　　].

> 例

・しかし今はパーティー大好き人間です：
　but now I'm more of a party person
・しかし今は明るく外交的です：
　but now I'm more outgoing

3. かつては家族とよく話していたものでした
　I **used to** talk to my family a lot, [　　　　　　　　　　　　].

> 例

・しかし今はEメールでやりとりしています：
　but now we communicate via e-mails
・しかし今は彼らは私を無視します：
　but now they simply ignore me

Mastering Process

059

経済の点で、世界はグローバル化が進んでいます。

The world is becoming more globalized / in terms of the economy.

世界はより地球化している / 経済の点で

be globalized
地球化する／国際化する

日本語の「グローバル化」の本来の英語の意味は「地球化」。The world is globalized.（世界が地球化されている。）、The world is globalizing.（世界が［自ずと］地球化している。）とだけ述べたところで、読み手、聞き手には何のことかわからず、共感を得ることはできない。まず自分にとってグローバル化とはどのような状況なのかを定義しよう。主文で、これから語ることが、どの分野におけるグローバル化（地球化、国と国が深く結びつく状態になること）なのかを伝え、詳しい内容として何（誰）がどのような行動をとることが自分が考えるグローバル化なのかを明確に示す必要がある。

in terms of ~
~の点で

使い方としては about に似ている。広い範囲を示す about に対し、in terms of はピンポイントで、かかる範囲を明確に示す。regarding（~に関して）も同義。

Vocabulary

☐ **economy**：名 経済、経済機構。economics（経済学）、economic（経済の）、economical（経済的な）も一緒に覚えよう。

④理由につながる事例を挙げる

練習問題

①〜③の手順で、「グローバル化」を別の言葉で言い換え、あなたが思い描くグローバル社会とは何かを説明する文を作りましょう。

① 具体的に「グローバル社会では、誰が何をするのか」の文を考えましょう。

例

・人々が好きなように旅行ができます。：
 People can travel as they like.
・人々が外国で働くことができます。：
 People can work in foreign countries.

② ①で考えた文をまとめましょう。

例

⇒ ［移動のグローバル化＝増加した移動性］increased mobility

③ キーフレーズを使って「〜の点でグローバル化が進んでいる」という文にしましょう。

例

・移動性という点において、世界はグローバル化が進んでいます。：
 The world is becoming more globalized in terms of mobility.

※①で作った文は、③の後に for example を加え、例として続けることができる。

Mastering Process

060

日本は漢字と平仮名を使うので、独特な国です。

Japan is a **unique** country /
because / it uses an original syllabary /
along with Chinese characters.

日本は独特な国だ / なぜなら / それは独自のアルファベットを使う / 中国の字と共に

unique
独特な

Japan is unique.（日本は独特だ。）とだけ述べるのではなく、どういった点でユニーク（独特）なのか、他と違う点を説明するなどの論旨を展開することで説得力のある文にしよう。

because
なぜなら

理由を付加する際によく使う接続詞。論理的な文を展開するために使う。ただし because ばかりを多用することは避け、同義の as、since なども併用しよう。 また、TOEFL テストを含むアカデミックライティングでは because から文を始めることはタブーとされているので、前文につなげること。

 × I like the car. Because it is cool.
 ○ I like the car because it is cool.

TOEFL テストは全体的な完成度で点数がつけられるため、because で文を始めたからといって減点対象となるわけではないが、留学後のレポート作成などを見据え、正式なライティングスタイルに慣れておこう。

④理由につながる事例を挙げる

練習問題

次の手順で、考えらる事例を挙げ、その後に続く意見、その理由を考えましょう。

① 次の [　] の中に、自分の学校／会社の独特な点を入れ、英文を完成させましょう。

My school/company is **unique because** [　　　　　　　　　].
私の学校/会社は独特です。なぜなら [　　　　　　　　　　]。

例

・1時間半昼休憩があり、それは日本ではとても長い休憩時間と考えられるからです：

it has an hour and a half lunch time, which is considered a very long break in Japan

② 次の [　] の中に、①について自分がどう思っているのか、好きか、嫌いか、好みを付け加えましょう。

Personally, I [　　　　　　　　　　　　　　　].
個人的には、[　　　　　　　　　　　　　　　]。

例

・そのシステムが好きです。1日の真ん中で長いリラックスした時間を取るのは、脳に良いと思います：

like that system. I think having a long relaxing time in the middle of the day is good for my brain

Mastering Process

ライティング・クリニック①

ここでは、ライティングセクションの Independent Task を例に、「問題に答えてはいるが構文や内容が惜しい解答」と「フレーズをうまく使い、構文や内容が光る解答」を比較します。これまで出てきたフレーズを使って、解答をレベルアップさせるテクニックを自分のものにしてください。

Independent Task です。

> ＊ Do you agree or disagree with the following statement?
> It is better to live in a big city than in a small town.
> Use specific reasons and examples to support your answer.
> 以下の意見に賛成か、反対か。
> 大きな都市に住む方が、小さな町に住むより良い。
> 特定の理由と例を挙げ、解答せよ。

実際の試験では 30 分、300 語を目安に解答をタイピングしていきます。

まずは、設問には答えているけれど、ほとんど要領を得ないと判断される解答を見てみましょう。

> I agree with the statement. It is better to live in a big city than in a small town. I will tell you why.
> I like big cities because I like places that are busy. I can go to many places. For example, restaurants, schools, companies and so on. I can visit my friends' houses. It's fun for me.
> There are many companies too. Many companies are good because I can choose where I work. I read a newspaper and chose this job I have now.
> I like to live in a big city because it's good for me.
>
> 意見に賛成です。大きな都市に住む方が、小さな町に住むより良いです。理由を教えます。私が大きな都市が好きなのは忙しい場所が好きだからです。たくさんの場所に行くことができます。例えば、レストラン、学校、会社など。友達の家を訪ねることができます。それは私にとってとても楽しいです。

たくさんの会社もあります。たくさんの会社は良いです。なぜなら、働く場所を選べるからです。新聞を読んで今のこの仕事を選びました。
私にとって良いので大きな都市に住むことを好みます。

ここが惜しい！

- 問題文を丸写ししている。
- 理由付けに because を何度も使っている。
- It's good for me.、It's fun for me. という表現はあるが、何が自分の何にとってどのようにいいのか、重要なのか、具体的な説明がない。

本書のキーフレーズを使ってみましょう。

I agree with the statement, which values more on benefits regarding an urban life compared to those in a relaxed country setting. Personally, I prefer to live in a big city for the following reasons; a better access to all facilities, plus more financial opportunities.

ゆったりとした田舎の環境よりも都市生活に関する利益に価値を置く意見に強く賛成します。個人的に私は以下の理由から大きな都市に住むことを好みます。すべての施設へのアクセスが良いこと、そして経済的機会が多いことです。

First, I strongly believe that living in a city is good for my life-style especially when it comes to minimizing commuting time from one place to another. My first priority is meeting a lot of people; therefore, I often set appointments with my business partners as well as friends around my work time. That only works because I live in the city area and so does everyone in my network. I cannot even imagine living in a small town and spending too much time coming to and going back from the city every day or driving many hours just to get to a friend's house. I am afraid that this kind of schedule would stress me out.

まず、特にある所から別の場所へ通う時間を最短にするという点で、都市に住むことは私のライフスタイルにとって良いことだと信じています。私の最優先事項は多くの人と会うことで、それゆえ、仕事時間の前後でビジネスパートナーや友達と会う約束を取り付けることが多いです。これは私も私のネットワーク内にいるみんなも都市周辺に住んでいるからできることです。小さな町に住んで、都市に行ったり帰ってきたりするのに毎日何時間

も費やしたり、ある友達の家に行くためだけに何時間も運転したりするのは想像すらできません。残念ながらそのようなスケジュールでは疲れてしまうのではと心配です。

Second, in my opinion, living in the center of a city can provide us with a variety of business opportunities. For example, when I had just graduated and was looking for a job, I found some postings specifically stating that they were hiring only those who live close to the workplace. Also, I could find similar job offers from different companies, which allowed me to examine the expected salary for the position in that field. In the end, I felt lucky to be able to settle with the best deal among the competitors. On the other hand, if I had been living in a small town, I could not have even applied for a job in the city, and might have ended up taking any available job even though I might not be very good at it.

第2に、私の意見では、都市の中心部に住むことは多くの仕事の機会を与えてくれます。例えば、新卒で仕事を探していた時、いくつかの募集は職場の近くに住む人のみを対象としたものがあることに気付きました。また、違う会社から似たような職種の募集があり、その分野でのその地位に関して期待される給料を調べることができました。結局、競合する会社の中で最も良い契約に落ち着くことができたことは幸運だったと思います。一方、もし私が小さな町に住んでいたなら、都市での仕事には応募すらできなかったかも知れませんし、たとえ得意でないことであっても何でもいいから仕事を得るということになってしまっていたかも知れません。

To sum up, at least for me, settling in a city is a key for success, enjoying saving time and earning decent money, and this should be the case in most people who share the typical working style.

まとめると、少なくとも私にとっては、都市に落ち着くことは成功へのカギであり、時間を節約し、かなりのお金を稼ぐことができるのです。そして、この典型的な労働スタイルを取る多くの人にとって、同じことが言えるでしょう。

この本で紹介したフレーズの用法を理解し、実際に使う練習をすることで、限られた解答時間で得点アップにつながる効果的な構文、単語を使えるようになります。使いこなせるようになるまで、繰り返しタイピングでのライティングを練習しましょう。

Chapter 5

アドバイス、予見、希望を伝える

主張、理由、事例を踏まえた上で、最後に将来への展望を述べます。スピーキングでは、制限時間を確認しながら、5秒以上の沈黙がないように解答を調整します。解決策の提示（アドバイス）、今後の見通し（予見）、今後への期待（希望）を示す本章のフレーズで、文章をきれいにまとめ、スピーチあるいはライティングを終えられるようにしましょう。

061

その状況であれば、彼にキャンパス内に住むことを薦めます。

Given the situation , / I would recommend that / he live on campus.

その状況であれば / 私は薦めるだろう / 彼がキャンパス内に住むことを

given the situation
その状況であれば

上の文のように分詞構文を使うと高度な文法力があると印象付けることができる。If I were given the situation（もし私がその状況であれば）の if I were が省略され、given the situation だけが残る。

recommend that [人][動詞]
[人]が[動詞]するのを推薦する（薦める）

「〜すればよいのでは？」と未来への提案をする時に使える動詞を覚えよう。recommend（推薦する）、suggest（提案する）、propose（提案する）などでは、[人]の後ろに動詞の原形が続くことが多い。時制や主語に影響を受けず動詞の原形がくる形に慣れよう。propose は確固たる信念や根拠がある時に使う。suggest よりも積極的。

Vocabulary

□ **on campus**：大学キャンパス内に⇔大学キャンパス外に（off campus）。「キャンパス内の住まい」は on campus housing（=dormitory 学生寮）。

⑤アドバイス、予見、希望を伝える

練習問題

進路に迷っている友達にアドバイスしましょう。次の日本語の文の意味になるように［　］の中に言葉を入れ、英文を完成させましょう。

1. その状況だったら、［彼には学士の学位（大学卒業）を取る］ことを薦めます。
   Given the situation , I would **recommend that** [he get a bachelor's degree].

2. その状況だったら、［彼には修士の学位（大学院修士課程修了）に向けて勉強する］ことを提案します。
   Given the situation , I would suggest that [he study toward a master's degree].

3. その状況だったら、［彼には博士の学位（大学院博士課程修了）を狙う］ことを提案します。
   Given the situation , I would propose that [he aim at a doctor's degree].

4. その状況だったら、［その問題についてルームメイトに話します］。
   Given the situation , I [would talk to the roommate].

5. その状況だったら、［その男子学生にその問題についてルームメイトに話すことを薦めます］。
   Given the situation I [would recommend that the male student talk to the roommate].

Mastering Process

もし彼の立場だったら、オフィスアワーの時間内に教授と話します。

062

If I were in his position, / I **would** talk to the professor / during his office hours.

（そうではないけれども）もし私が彼の立場だったら / 私は教授と話すだろう / 彼のオフィスアワーの時間内に

If I were ～
（そうではないけれども）もし私が～だったら

英語では「もし」という仮定の状況を示す時、可能性が低いときには過去形にするというルールがある（仮定法過去）。

　　実際の状況：I am not in his position, so I will not talk to the professor.（私は彼の立場にいませんから教授とは話しません。）

　　仮定の状況：過去形にする→ If I were in his position, I would talk to the professor.（もし私が彼の立場にいたら、教授と話すでしょう。）

※仮定法過去ではbe動詞は主語の人称や数に関係なくwereを使うので注意。

　× If I was in his position,

would［動詞］
［動詞］するだろう

仮定法を受けてwillがwouldになる。助動詞wouldにはさまざまな意味があり、「きっと～だ」という推量、「～したい」という意志の用法や、Would you help me out?（助けていただけませんか？）のように、疑問文の形で丁寧な依頼や勧誘を示すことがある。

Vocabulary
□ **position**：名 立場。立ち位置。日本語の「ポジション」と同じ意味。

⑤アドバイス、予見、希望を伝える

練習問題

〈**1**〉ドメスティックバイオレンスに悩む女友達がいます。次の日本語の文の意味になるように [　] の中に言葉を入れ、英文を完成させましょう。

1. 彼女の立場だったら、彼のいい所を探すわ。
　If I were in her position, I [would try to find his good points].

2. 彼女の立場だったら、彼とは別れるわ。　　＊〜と別れる：break up with 〜
　If I were in her position, I [would break up with him].

3. 彼女の立場だったら、警察に通報するわ。
　If I were in her position, I [would report to the police].

4. 彼女の立場だったら、カウンセラーに相談するわ。
　If I were in her position, I [would consult a counselor].

〈**2**〉次の日本語の文の意味になるように [　] の中に言葉を入れ、英文を完成させましょう。

あなたの立場だったら、[上の 1. を除くすべての選択肢をやってみるわ]。
　If I were in your position, I [would do all of the above, except the first choice].

Mastering Process

063

> できることなら、戻って、もう一度あの美術館を訪ねることができたらなあ。

I wish / I could go back / and visit the museum again.

私は（おそらく無理だがそうなるといいと）願う / 私が戻ることができる / 美術館を再び訪ねる

wish
（可能性が低いことについて）願う

可能性が高いことを望む時は I hope を使う（064 参照）。I wish はほぼ絶対に起こらないであろうことを望む時に使う。2つのフレーズを適宜使い分けてボキャブラリー力があることを印象づけよう。

could 〜
（仮定法の条件節の I wish の後で）〜することができたら

助動詞 can の過去形。I wish の後に続く文中に使うことで「〜することができたらいいのになあ」というニュアンスを伝えることができる。

※「練習問題」に取り組む前に What kind of apartment do you want to live in?（どのような集合住宅に住みたいですか？）という質問の答えを考えてみよう。例えば、「便利な家」に住みたいと述べる時、I want to live in a convenient house. としたのでは理解されない。自分にとって便利とはどういうことなのかを具体的に説明する必要がある。「練習問題」で具体的な説明の練習をしよう。

Vocabulary

□ **museum**：名 美術館。event（名 イベント）、exhibition（名 展覧会）なども一緒に覚えよう。

⑤アドバイス、予見、希望を伝える

練習問題

次の日本語の文の意味になるように [ ] の中に言葉を入れ、英文を完成させましょう。月額の家賃の予算によって動詞の表現が異なることに注意しましょう。

1. 〈予算 50 万円の場合〉広い家に住みたいなあ。
I want to [live in a spacious house].

2. 〈予算 5 万円の場合〉広い家に住めたらなあ。
I **wish** [I could live in a spacious house].

3. 〈予算 5 万円では難しい条件〉駅まで近いところがいいな。
I [wish I could live close to a station].

4. 〈予算 5 万円では難しい条件〉食料品店まで近いところがいいな。
I [wish I could live close to a grocery market].

5. 〈予算 5 万円では難しい条件〉プールつきの複合施設の集合住宅がいいな。
＊複合施設：complex
I [wish I could live in an apartment in a complex that has a pool].

6. 〈予算 5 万円では難しい条件〉専用のビーチがある家を借りられたらな。
I [wish I could rent a house with a private beach].

Mastering Process

064

もっと故郷に帰って家族に会いたいと願っています。

I **hope to** have / **more opportunities** / to go back to my hometown and see my family.

私は得ることを望む / もっと多くの機会を / 故郷に戻り家族に会う

hope to［動詞］

［動詞］したいと願う／［動詞］することを望む・期待する

hope は wish に比べ、実現する可能性が高いことを願う時に使う。例えば、思い出を述べた後に、まとめとして「もっとそれがしたい」と加えてスピーチを締めくくる時に使おう。可能性が低いことについて望む時は wish を使う（063 参照）。会話問題では I hope so.（そうだといいね。）と短い文で使われることもある。

more opportunities to［動詞］

もっと［動詞］する機会

opportunity（機会）が具体的な場合は数えられる名詞。「もっと機会を得る」は have more opportunities となる。過去形で had an opportunity to do とすれば「（幸運にも）［動詞］する機会を得た」という意味になる。

Vocabulary

☐ **hometown**：名 故郷、田舎。city（都市）に対して、人があまり住んでいない田舎は countryside。（023 の Vocabulary「local」参照）

⑤アドバイス、予見、希望を伝える

練習問題

次の英文を、キーフレーズを使った文に言い換えましょう。

1. I want to study abroad more.
もっと留学の機会を持ちたいです。
⇒ I **hope to** [have more opportunities to study abroad].

2. I want to volunteer more.
もっとボランティアの機会を持ちたいです。
⇒ I **hope to** [have more opportunities to work as a volunteer].

3. I want to talk more with friends.
もっと友達と話す機会を持ちたいです。
⇒ I **hope to** [have more opportunities to talk with friends].

4. I want to speak English more.
もっと英語を話す機会を持ちたいです。
⇒ I **hope to** [have more opportunities to speak English].

5. I want to learn more English naturally.
もっと自然に英語を多く学ぶ機会を持ちたいです。
⇒ I **hope to** [have more opportunities to learn English in a natural setting].

Mastering Process

065

> この点は、その場合においては特に当てはまると信じています。

I believe / this point is true / especially in that situation.

私は信じる / この点は当てはまる / この場合では特に

this point is true
この点は当てはまる

直訳「この点は真実だ」から転じて「当てはまる」「そうだ」の意味。似たフレーズに it is the case（直訳「それは事実だ」から転じて「当てはまる／そうだ」）がある。逆に「いつもそうであるとは限らない」は、it is not always the case。

especially in ～
～においては特に

「すべての場合でそうであるかどうかはさておき、ある特定の場合においては特に自分の意見は当てはまる」と主張する時に使えるフレーズで、in の後ろには名詞がくる。「～の時には特に」は especially when ～で、when の後ろには主語＋述語を含む節がくる。

Vocabulary

□ **situation**：名 場面、状況。日本語でいう「シチュエーション」と同じ意味で使われる。

⑤アドバイス、予見、希望を伝える

練習問題

範囲を限定することで、主張をより説得力のあるものにします。[ ] の中にキーフレーズを含んだ言葉を入れ、英文を完成させましょう。

1. 人々は何を着るかについて考えるのに多くの時間を費やします。
People spend too much time thinking about what to wear.
(↑偏った意見で、反論の余地がある)
⬇
これは、もしあなたが10代であれば特に当てはまります。
I believe [this point is true especially when you are a teenager].
(↑限定されたため、主張に説得力が増す)

2. 電車に乗ることは車を持つよりもずっと安いです。
Taking trains is much cheaper than having a car.
(↑偏った意見で、反論の余地がある)
⬇
これは私が住む首都圏においては特に当てはまります。＊居住する：reside
I believe [this point is true especially in the Tokyo metropolitan area, where I reside].
(↑限定されたため、主張に説得力が増す)

Mastering Process

066

新しい教授陣と一緒に働くのを楽しみにしています。

I look forward to / working with new faculty members.

私は楽しみにしている / 新しい教授陣と一緒に働くのを

look forward to ～
～を楽しみにする

会話問題でよく見られるフレーズ。現在進行形 be looking forward to とすると、くだけた表現になる。スピーキングセクションでは、細かな違いは採点項目に入らないので、自分で言いやすい方を使えばOK。リスニングでは、どちらの言い回しにも慣れておこう。後ろに動詞を続けて「～することを楽しみにしている」という時には動詞は -ing 形にすること。I can't wait to ～（もう待てないくらい～するのを楽しみにしている）という表現も一緒に覚えよう。

work with ～
～と働く

work は労働を含む、広い意味での「働く」の意味。何かに従事する時、役割やイベントで「動く」時も move ではなく work を使うのが一般的。

Vocabulary

☐ **faculty**：名 学部教授陣

⑤アドバイス、予見、希望を伝える

練習問題

次の日本語の文の意味になるように [　] の中に言葉を入れ、英文を完成させましょう。

1. [あなたと一緒に働く] のを楽しみにしています。
　I **am looking forward to** [working with you]。

2. [新しい学部長と一緒に働く] のを楽しみにしています。　＊学部長：dean
　I **am looking forward to** [working with the new dean]。

3. [新しい学長を歓迎する] のを楽しみにしています。
　I **am looking forward to** [welcoming the new president]。
　※大統領を表す president は、大学では「学長」の職を表す。

4. [試験の結果が戻ってくる] のを楽しみにしています。
　I **look forward to** [getting the test results back]。

5. 私は [高校を卒業するのを楽しみにしていました]。
　I [was looking forward to graduating from high school]。

067

長期的には、今年選択科目をたくさん取ることは、彼にとって良いことでしょう。

Taking many elective subjects this year / will be good for him / in the long run .

今年多くの選択科目を取ることは / 彼にとって良いことだろう / 長い目で見た時に

will ～
～だろう

未来を表す助動詞。他にも「～しよう（意志）」「～だろう（推量）」の意味もある。時制の選び方による意味やニュアンスの違いも確認しておこう。

be：It is good for me.（それは私にとっていいです。）
be going to ～：It is going to be good for me.（[すでに兆候が表れていて] それは私にとっていいことでしょう。）
will：It will be good for me.（[まだ何も変わっていないが未来においては] それは私にとっていいことでしょう。）

in the long run
長い目で見た時に

今すぐには結果は出ないかもしれないが、長期的には利益があるなどと主張する時に、自分の意見をサポートすることができる。

Vocabulary

□ **elective subjects**：名 選択科目。「必修科目」は required subjects。会話文では subjects が省略され、electives / required と表現されることもある。

⑤アドバイス、予見、希望を伝える

> **練習問題**

次の 1. ～ 6. について悩んでいる友達に「長い目で見た時にはいいことだよ」と励ましてあげましょう。［　］の中に言葉を入れ、英文を完成させましょう。

1. 仕事量を増やすこと
   [Taking a bigger workload] **will** be good for you **in the long run** .

2. 課題を仕上げること
   [Finishing the homework] **will** be good for you **in the long run** .

3. 今専攻を変えること
   [Changing your major now] **will** be good for you **in the long run** .

4. 何が起こったのかみんなに教えること
   [Telling everyone what happened] **will** be good for you **in the long run** .

5. 学校の警備室に行くこと
   [Going to the school security office] **will** be good for you **in the long run** .

6. たくさんの水を飲むこと
   [Drinking a lot of water] **will** be good for you **in the long run** .

Mastering Process

068

教育への投資は、経済成長につながる可能性が高いです。

Investing in education / is likely to / lead to / economic growth.

教育に投資することは / する可能性がある / につながる / 経済成長

be likely to ~
~しそうである／~する可能性がある

未来において可能性が高いと主張する表現。tend to ~（~の傾向がある、~しがちである）も合わせて覚えよう。名詞形 likelihood は「起こりそうなこと」「見込み」の意味。

lead to ~
~につながる

すぐにではないが結果的にはそこに向かっていくだろうと予想する時に使えるフレーズ。思いついたことが論理的に多少飛躍していても、そこに「つながる」という表現を加えることで説得力のある文にすることができる。よって、lead to の後は、今の時点では現実的ではないような大きなテーマを扱っても OK。

Vocabulary

☐ **invest**：動 投資する。名詞は investment。お金を使うという表現は spend（費やす）で表すことができるが、invest の場合、ただお金を使っているのではなく将来何らかの見返りが期待できるというニュアンスを含む動詞。反意語は waste（無駄にする）。

☐ **economic growth**：経済成長

⑤アドバイス、予見、希望を伝える

練習問題

「エコカー購入」や「みんなが音楽を学ぶこと」は、将来どのような大きな効果につながると思いますか。[　]の中に入る言葉をできるだけ多く考えましょう。

1. エコカー購入

Purchasing eco-friendly cars **is likely to　lead to** [　　　　　　].

例

- 温室効果を遅らせること：slowing down the greenhouse effect
- 将来の世代のために環境を維持すること：
  sustaining the environment for future generations
- 大気汚染を止めること：stopping air pollution

2. みんなが音楽を学ぶこと

Everyone learning music is [　　　　　　　　　].

例

- 世界平和につながりそうです：likely to lead to world peace
- 文化的に豊かな社会につながる可能性が高いです：
  likely to　lead to a culturally rich society
- 異文化の相互文化への理解を発展されることにつながる可能性が高いです：
  likely to　lead to developing intercultural understanding

Mastering Process

069

こんないい友達がいて、自分は幸せだと感じます。

I feel lucky / to have such a good friend.

私は幸せと感じる / こんなに良い友達を持っていることに

feel lucky to ～
～ことに幸せと感じる

自分の主張に基づく選択の結果、今自分が幸せである、現状に満足しているというアピールをして、サポート材料の1つにすることができるフレーズ。類似表現に privilege（特権）があり、改まった場面で謝辞を述べる場合などに使う。It was my privilege to have him as my boss.（彼を上司として持つのは私の特権でした。）というような表現になる。大きな表彰式や有名人のインタビューで耳にすることもあるだろう。自然な表現を身につけていこう。

such a [形容詞][名詞]
こんなに [形容詞][名詞]

形容詞＋名詞を強調する場合に、such a good friend（とても良い友達）のように such を使う。形容詞だけを強調する場合は、so good（とても良い）のように so を使う。他に such を使った構文としては such ～ that SV の形で、「あまりに～だったので S が V した」というものがある。

　It was such a tough course that most of the students ended up dropping it.
　（あまりに厳しい授業だったので、ほとんどの学生が［履修を］止めてしまいました。）

⑤アドバイス、予見、希望を伝える

練習問題

どのような時に幸せだと感じますか。[ ]の中に入る言葉をできるだけ多く考えましょう。

1. I **feel lucky to** have **such a** [   ].
   こんな [   ] を持っていて幸せです。

例

・良い家族：good family
・素晴らしい同僚：wonderful colleague
・素敵な労働環境：nice work environment

2. I **feel lucky to** live in **such a** [   ].
   こんな [   ] に住めて幸せです。

例

・美しい近隣環境：beautiful neighborhood
・静かな場所：quiet area
・贅沢な家：gorgeous house

応用問題

何を（誰を）知っていることに幸せを感じますか。＿＿＿＿にあなたの意見を入れ、英文を完成させましょう。

I feel lucky to know ＿＿＿＿＿＿＿＿＿＿ .

Mastering Process

070

以上の理由から、私は自身の意見を強く主張します。

For the above reasons, / I **strongly stand by** / my opinion.

上に挙げた理由から / 私は強く支える / 自分の意見を

for ~
〜によって／〜から

理由・根拠を表す。上の文のように、for the above reasons（上に挙げた理由から）を使うことで、これからまとめの一言に入ることを聞き手（読み手）に知らせることができる。話の冒頭では for the following reasons（以下に続く理由で）を使おう（001 参照）。

strongly
強く

stand by（支える）の前に strongly を置くことで「絶対に譲らない」と強く意見を推している（主張している）ことを示すことができる。TOEFL テストでは程度を表す副詞が使えるというアピールになるので、使いこなせるようにしよう。例えば、「強く」を表すのには absolutely（絶対に）、fully（完全に）、completely（全く）などがあり、反対に「いくぶんか」を表すのには somewhat（いくぶん）、partially（部分的に）などがある。

POINT スピーキングセクションでは最後に5秒余った時に使う決めゼリフを、ライティングセクションで文章を締めくくりに使える一文をあらかじめ用意しておくと便利だ。右ページの「練習問題」でマスターしよう。

Vocabulary

☐ **stand by**：〜を支持する。stand by my opinion には「自分の意見を曲げない」という意味もある。

⑤アドバイス、予見、希望を伝える

練習問題

賛成か反対か、またその意見の強さに注意しながら、次の日本語の文を英訳しましょう。

〈スピーキングセクションで〉

1. 先に言及された要因に基づき、私はその意見に強く賛成します。
Based on the factors mentioned earlier, I absolutely agree with the statement.

2. 先に述べたように、私はその意見を完全に支持します。
As stated earlier, I fully support the opinion.

〈ライティングセクションで〉

3. 上に提案されたすべての理由により、私はその意見に部分的に反対です。
For all the reasons presented above, I partially disagree with the statement.

4. 上に記されたすべての理由により、私はその意見にいくぶん反対です。
For all the reasons stated above, I somewhat disagree with the statement.

5. 上に示されたサポート材料により、私はその意見に全く反対します。
Based on the supporting material shown above, I completely disagree with the statement.

Mastering Process

カタカナ語でボキャブラリー倍増

カタカナ語はすでに日本語としてインプットされている言葉なので、英語でも同義で使う言葉を知ることで、効率よく語彙を増やすことができます。使えるカタカナ語はアウトプットの際にどんどん活用しましょう。

例えば、次の文を英語に直す時に、どのようなカタカナ語が使えるか考えてみましょう。

> 例題1　日本の教育現場はたくさんの問題に直面している、と強調したい。

下線部にカタカナ語を入れて、英文を完成させましょう。

I want to ___強調する___ that the Japanese education ___現場（機構）___ is ___直面している___ many problems.

以下のように、下線部の言葉⇒英語＝カタカナ語に変換していきます。

「強調する」
　⇒［英］動詞 **highlight**：名詞は「山場」
　＝［日］名詞 **ハイライト**：スポーツニュースのハイライト、髪にハイライトを入れる、などで使われる。
　例）I would like to highlight the importance of education.
　　　教育の重要性を強調したい。

「現場」
　⇒［英］名詞 **system**：「ある状態を作る機構」という意味で。place では不自然。
　＝［日］名詞 **システム**：システムエンジニア、システム開発、などで使われる。
　＊日本語の「システム」に比べ、英語の system はより広範な機構を表す。例：brain system（脳システム）、education system（教育システム）、market system（市場システム）、winner-takes-all system（勝者がすべてを得るシステム：アメリカの大統領選関連のトピックで頻出。同選挙は人口に合わせ議員数が各州に割り振られており、州ごとの多数決でその州に割り振られた票数すべてが Republican（共和党）になるか、Democratic（民主党）になるか、という勝者独占制を取っている）、policy-making system（政策決定機構）、administrative system（行政機構）、school system（学校のシステム）、computer system（コンピューターシステム）など。このように system は

広義な意味を含むため、スピーキングなどでとっさに適した言葉が浮かばない時に代用できる。

「直面する」

⇒ ［英］動詞 **face**：顔を向ける、直面する、毅然と立ち向かう。名詞は「顔」
= ［日］名詞 **フェイス**：フェイスブック、フェイスタオル、などで使われる。
（英語のジョークで）
Don't facebook your problem, face it!
自分の問題をフェイスブックに投稿するな、立ち向かえ！
（facebook は「［Facebook に］投稿する」という意味の動詞）

カタカナ語を使った答えを確認しましょう。

I want to highlight that the Japanese education system is facing many problems.

カタカナ語をうまく使い、すっきりとまとまった文になりました。

例題 2　政策決定過程は、我々の共同体意識に支えられて機能する。

Our policy-making ___過程___ can ___機能する___ with the ___支え___ of our ___意識___ of community.

「過程」

⇒ ［英］名詞 **process**：道のり。way（道）よりハイレベルなボキャブラリー。
= ［日］名詞 **プロセス**：プロセスが大事だ、システムプロセス、などで使われる。

「機能する」

⇒ ［英］動詞 **function**：名詞では「機能」
= ［日］名詞 **ファンクション**：ファンクションキー、などで使われる。

「支え」

⇒ ［英］名詞 **support**：015 参照。
= ［日］名詞 **サポート**：サポートする、サポートセンター、などで使われる。

「意識」

⇒ ［英］名詞 **sense**：「感覚」という意味もある。
= ［日］名詞 **センス**：ファッションセンス、経営センス、などで使われる。

＊ mathematical sense（数学のセンス）、sense of security（安心感）

カタカナ語を使った答えを確認しましょう。

Our policy-making process can function with the support of our sense of community.

その他にも日本語と英語で同義のカタカナ語はあるので、日常で耳にするカタカナ語の語源を確認して、アウトプットで使える英語ボキャブラリーを増やしておきましょう。

Chapter 6

順序立てて伝える

TOEFL テストの採点基準の1つである「聞きやすさ」「読みやすさ」の項目で得点を稼ぐには、聞き手(読み手)に負担をかけない、わかりやすい展開で発言や文章を示す必要があります。本章で挙げる接続詞やヒントとなる助動詞、フレーズを的確に使い、理論の展開を順序立てて伝えられるようにしましょう。

> 第1に、学校に歩いて行くことは私の健康に良いです。
> 第2に、それは家計にも良いです。第3に、環境に良いです。

071

🔊 071

First, / walking to school is good / for my health.
Second, / it is good / for my family budget.
Third, / it is good / for the environment.

第1に / 学校に歩いて行くことは良い / 私の健康に
第2に / それは良い / 私の家計に
第3に / それは良い / 環境に

First, 〜. Second, 〜. Third, 〜.

第1に、〜。第2に、〜。第3に、〜。

理由を順序立てて述べる時に使える最もシンプルなつなぎ語。TOEFLテストでは、順序立てて説明する論理性と英語力が求められる。主に限られた時間で書くエッセイで、聞き手、読み手が理解しやすい解答を作る助けになるフレーズなので、必ずこのような論理展開の道しるべを使って得点アップを狙おう。

POINT 上の文のポイントは walking to school が、健康、経済、環境という全く異なる3つの分野で良いことだと主張していること。日本語で考えて、「有酸素運動を促すから健康にいい」「適度な運動は身体をのびのびさせる」などといった複雑な情報を英語に直そうとすると、不自然な文章になりがちだ。また、自分では3つの理由がそれぞれ異なるテーマと考えていても、実際の解答の英語が同じ単語と表現の繰り返しになっていることがある。アイデアを練る段階で、全く異なる分野のサポート材料をできるだけ多く探しておくと、解答で使える単語が増える。

Vocabulary

☐ **family budget**：名 家計。budget は「予算」。

⑥順序立てて伝える

練習問題

これまでに学習してきたキーフレーズを使って、[ ]の中に、賛成／反対、その理由を3つ入れ、英文を完成させましょう。

Do you agree or disagree?
All students should be required to take art courses.

賛成ですか、反対ですか。
すべての学生は芸術の授業を取ることを必須とされるべきだ。

主張に[賛成]です。
第1に、[芸術を勉強することは歴史を学ぶいい方法です]。
第2に、[他の文化に対する理解を助けます]。
第3に、[最もいいのは、それは楽しいということです]。

I [agree] with the statement.（005 参照）
First, [studying art is a good way to learn history].（002 参照）
Second, [it helps us understand other cultures].（014 参照）
Third, [the best part is it is fun].（027 参照）

Mastering Process

まず、携帯電話を使うことは私にとって有益です。インターネット機能を使い、いつでもどこでも必要な時に具体的な情報を得ることができるからです。

072

To begin with, / using a cellphone / is beneficial for me, / as its Internet function / allows me / to get specific information / when and where I need it.

まず / 携帯電話を使うことは / 私自身に有益だ / そのインターネット機能は〜だから / 私に許す / 具体的な情報を得ることを / 私が必要な時と場所で

To begin with,
まず、／初めに、

書き出しに使えるフレーズは、他にも、to start with、first of all、the first and most important point is 〜（まず重要なのは〜だ）など、多くの言い方があるので、一緒に覚えよう。

POINT TOEFL テストでは、携帯電話やインターネットなど、新しい技術に関して意見を問う問題が増えてきた。あらかじめ賛成か反対か立場を決め、自分の意見を英語で言えるように練習しておこう。

Vocabulary

☐ **cellphone**：名 携帯電話。英国では mobile phone と呼ばれる。TOEFL テストでは、特にスマートフォンに限定されることはないが、「インターネット接続機能のある携帯電話」という前提で答えて問題ない。
☐ **specific**：形 具体的な。「特有の」という意味でも使われる。

⑥順序立てて伝える

練習問題

次の質問に答えるサポート文を完成させましょう。日本語の文の意味になるように [ ] の中に言葉を入れましょう。試験では、Chapter 1で学習したように、サポート文の前で、まず主張を述べます。

1. Do you prefer to wear school uniforms or clothes you like?
あなたは制服があるのと、ないのでは、どちらがいいですか。

まず、制服を着ることは私にとって便利です。[それは私に朝の時間を節約させるから]。
To begin with, wearing uniforms is convenient for me, [as it allows me to save time in the morning].

2. Do you prefer to stay in one place or visit new places?
あなたは一か所に留まるのと、新しい場所を訪ねるのと、どちらを好みますか。

まず、新しいところへ旅行に行くことは私の知識を広げます。[その文化について生の情報を私に得ることを可能にさせるから]。
To begin with, traveling to new places can widen my knowledge, [as it allows me to get first-hand information about the culture].

3. Do you prefer to study alone or in a group?
あなたは1人で勉強することと、集団で勉強すること、どちらを好みますか。

まず、集団で勉強することは私にとってうまく働きます。[より楽しくて、私のやる気を保てるから]。
To begin with, studying in a group works better for me, [as it is more fun, and it keeps me motivated].

Mastering Process

> 加えて、いつでもどこでも必要な時に連絡が取れるので、携帯電話を使うことは家族にとっても良いことです。

073
🔊 073

Additionally, / using cellphones is good for my family, / as we can communicate with each other / when and where we need to.

加えて / 携帯電話を使うことは家族にとって良い / お互いコミュニケーションが取れるので / 私たちが必要な時と場所で

additionally,
加えて、

情報を付加したい時に使えるフレーズは、moreover、also、plus、besides that などもあるので、一緒に覚えよう。

POINT TOEFL テストでは「コミュニケーション」に関する出題も多い。自分が face-to-face communication（顔と顔を合わせて実際に会うこと）が好きなのか、e-mail や online chatting など easy communication via technology（技術を使った気軽なやり取り）が好きなのか、その理由とともに整理してまとめておこう。その際に用いる実例は気をつけて選ぶこと。日本では有名だが世界的には知名度が低いアプリやサービスを例示しても、採点官には伝わらない。凝った最新情報ではなく、わかりやすい実例を考えておこう。

Vocabulary

☐ **communicate with each other**：コミュニケーションを取り合う＝互いに連絡を取る

練習問題

181 ページの文に続く英文を完成させましょう。日本語の文の意味になるように [ ] の中に言葉を入れましょう。

1.（181 ページの 1. に加えて）

加えて学校の制服を着ることは [家計にいいです。私は洋服に余計なお金をかけずにすみますので]。

＝加えて、学校の制服を着ることは [家計にいい、それは私に求めることをしないから、洋服に余計なお金をかけることを]。

Additionally, wearing school uniforms is [good for my family budget, as it does not require me to spend extra money on clothes].

2.（181 ページの 2. に加えて）

加えて、私が新しいところへ旅をすることは [私の家族や友達にとってもいいことです。新しい情報を彼らと共有することができるので]。

Additionally, my traveling to new places is [good for my family and friends, as I can share new information with them].

3.（181 ページの 3. に加えて）

さらに、友達に教えることは [私にとって良いです。コミュニケーション力を向上することができるので]。

Additionally, , teaching friends is [good for me, as I can improve my communication skills].

> 一方、携帯電話がなければ、情報を共有することは非常に難しいです。

074
🔊 074

On the other hand, / without cellphones, / sharing information / is extremely difficult.

一方、/ 携帯電話なしには / 情報を共有することは / 極端に難しい

on the other hand,

(これまで述べてきたことの) 他方で／これに反し／一方、

視点の転換を行う（前のパラグラフで述べた内容とは別の方向からトピックについて語る）時に使うことができ、additionally のように情報の付加としても使える便利なフレーズ。「この間に、一方」の意味では meanwhile という表現もあるので、一緒に覚えておこう。

POINT to begin with,（072 参照）、additionally,（073 参照）のフレーズを使った文で、携帯電話がどのように自分の生活に役立つかを述べてきた。ここでは、携帯電話がない世界へ視点を向け、その際にどのような不便さがあるかを述べることで、自分の主張をサポートする方法をとる。例えば、スピーキングセクションの Independent Task で、新たなアイデアが浮かばない時や持ち時間が 10 秒以上余っている時のとっさの一言として使える。

Vocabulary

☐ **extremely**：副 極端に

⑥順序立てて伝える

練習問題

183ページの文に続く英文を完成させましょう。日本語の文の意味になるように [ ] の中に言葉を入れましょう。

1.（183ページの1.をサポートして）
一方、[好きなものを着ていいなら、毎朝学校に着て行くものを選ぶのに多くの時間を費やすかもしれません]。

On the other hand, [if I can wear what I like, I might spend a lot of time choosing what to wear to school every morning].

2.（183ページの2.をサポートして）
一方、[同じところに留まっていたら、まるで同じ日を何度も何度も繰り返しているように私に感じさせるかもしれません]。

On the other hand, [staying in one place might make me feel as if I am repeating the same day over and over].

3.（183ページの3.をサポートして）
一方、[1人で勉強すると眠くなる傾向があります]。

On the other hand, [I tend to get sleepy when I study by myself].

Mastering Process

> 最後に、非常時においては必要な情報を共有することができるので、携帯電話を使うことは共同体全体にとって良いです。

075
🔊 075

Lastly, / using cellphones is good for the overall community, / as we can share vital information / in case of emergency.

最後に / 携帯電話を使うことは共同体全体にとって良い / 必要な情報を共有することができるから / 非常時に

lastly,

最後に、

最後のポイントをこれから述べることを示唆する。finally も同義で使われる。lastly の代わりに、情報の追加を示す 073 の additionally,（加えて）や同義の in addition、moreover、furthermore なども使うことができる。

POINT 右ページの「練習問題」の設問はそれぞれ、1.「個性」と「協調」、2.「変化」と「不変」、3.「個」と「集団」を選ばせる問題である。少しずつ形は変えながらも似たような切り口の出題は多いので、しっかり備えておこう。

Vocabulary

☐ **in case of**：万一。「〜の時は」は in the case of 〜、起こる確率が低い場合は the が入らないと覚えておこう。
☐ **emergency**：名 緊急事態

⑥順序立てて伝える

練習問題

185ページの文に続く英文を完成させましょう。日本語の文の意味になるように [ ] の中に言葉を入れましょう。

1.（185ページの1.に続けて）
最後に、制服を着ることは［学校にとっていいです。それは学生の間で強い共同体意識を築くのに貢献するから］。

Lastly, wearing a school uniform [is good for my school as it establishes a strong sense of community among students].

2.（185ページの2.に続けて）
最後に、旅行をすることは［外国に新しい友達を作るいい方法です］。

Lastly, traveling [is a good way to make new friends in a foreign country].

3.（185ページの3.に続けて）
最後に、［教えてもらうのに家庭教師を雇わず代わりに友達に頼むことで、お金を節約することができます］。

Lastly, [I can save money by not having a private tutor but asking friends to teach me instead].

Mastering Process

076

まとめると、この小さな手のひらサイズの装置は、私達の生活の多くの場面において、大きな貢献をしてきているのです。

To sum up, / the small handheld device / has been making a huge contribution / to many aspects of our lives.

まとめると / この小さな手のひらサイズの装置は / 大きな貢献を作ってきている / 私達の生活の多くの場面において

to sum up,
まとめると、

結論を示す表現には、in conclusion、to conclude、consequently などもあるので覚えよう。ライティングの時には、as I stated above（私が上に述べたように）、for the above reasons（上の理由により）など、前述してきたことをまとめるフレーズを使うこともできる。

結論は、残り時間を見ながら付け加えよう。TOEFL テストでは制限時間が短いので、時間がなければ結論を加える必要はない。結論の文を作る時には、パラフレーズ（言い換え）を意識して、これまでとは違う新しい言葉を使うようにしよう。

Vocabulary

☐ **device**：名装置。他にも machine（機械）の類語で gadget [gˈædʒɪt] は装置のうち細かい機能があるもの、equipment は装置全般を指す集合名詞、apparatus はもっと大きなものを指す言葉である。

☐ **handheld**：形手のひらにのる

☐ **contribution**：名貢献。make a contribution はポジティブな変化を生み出すために「貢献する」という意味でも、ネガティブなことへの「一因となる」という意味でも使われる。

☐ **aspect**：名側面、局面

練習問題

187ページの文に続く英文を完成させましょう。日本語の文の意味になるように [ ] の中に言葉を入れましょう。

1. (181 〜 187 ページの1．の結論)
まとめると、[多くの学生は学校が予め設定した同じ服を持つことにより利益を得ることができます]。

To sum up, [most students can benefit from having the same pre-set clothes for school].

2. (181 〜 187 ページの2．の結論)
まとめると、[新しい環境に飛び込んでいくことは私達の生活の多くの場面において強くて良い影響を与えるはずです]。

To sum up, [jumping into a new environment should have strong positive effects on many aspects of our lives].

3. (181 〜 187 ページの3．の結論)
まとめると、勉強する環境の中で良好な仲間からの圧力を受けることは、[私の精神面と経済面の両方にいいです]。

To sum up, having positive peer pressure in a study setting [is better for both my mental state and financial status].

Mastering Process

077

> リーディングは、猫は気を引こうとして鳴くと主張しています。しかし、話し手は異なる解釈をします。

The reading claims that / cats cry / seeking attention.
However, / the speaker has / a different interpretation.

リーディングは主張する / 猫は鳴く / 注意を求めながら。しかしながら / 話し手は持っている / 異なる解釈を

however,
しかしながら、

逆説を示し、前の内容と後ろの内容が明確に逆の（相反する）内容を示している時に使う。同じ用法で使われるものに but、in comparison がある。however はライティングで使う場合には上の文のように文頭に置き、直後にカンマの形、あるいは前文に続けて、「前文 ; however,」とセミコロンで文をつなげていく書き方が一般的だ。類語 but を文頭に置くのは文法上好ましくないとされているので、「前文 , but 〜」の形にしよう。

POINT 日本語では、逆接の表現として「〜ですが」「〜したのですが」などを使うことが多い。しかし、英語では、前の内容と後ろの関係が逆接でない内容の時に however を使うと誤用になり、意味の取りにくい文章になる。

Vocabulary

☐ **attention**：名 注意。Attention, please.（注目してください。）は Pay attention.（注意してください。）の意味。

☐ **interpretation**：名 解釈。派生語の interpreter（通訳者）も覚えよう。

⑥順序立てて伝える

練習問題

次の文の [ ] に、前後の文の意味と関係性を考えながら、and（そして）あるいは however（しかし）を入れましょう。

1. The reading claims that some birds sleep standing on one leg; [however], the speaker has a different interpretation.
リーディングは、片足立ちで寝る鳥がいると主張し、[しかし]、話し手は違う解釈をします。

2. The reading claims that some birds sleep standing on one leg; the speaker, [however], introduces the case of a hen, which sleeps sitting down on the ground.
リーディングは、片足立ちで寝る鳥がいると主張し、話し手は [しかし]、地面に座って寝るめんどりのケースを紹介しています。

3. The reading claims that some birds sleep standing on one leg [and] introduces the case of a flamingo.
リーディングは、片足立ちで寝る鳥がいると主張し、[そして] フラミンゴのケースを紹介しています。

Mastering Process

078

昇給を受けたので、その会社に残りました。

I got a pay raise; / therefore, / I stayed with the company.

昇給を受けた / したがって / その会社に残った

therefore,
したがって、

順接の表現。起こったことの結果を示す時にも使われる。同じ用法で、thus、all in all も使うことができる。聞き手が順を追って内容を理解できるように、話の流れを作った上で結果を示そう。so で文をつなぐのはくだけた表現になるので、スピーキングではさしつかえないが、ライティングでは避けよう。

POINT 動詞と名詞で同じ形で使える語は、「基本動詞＋名詞」で使うと簡潔で自然な言い回しになるものがある。

My salary rose.
= I got a pay raise.（昇給を受けた。）
I want to ride (in your car).
= I want a ride.（乗ることをしたい。）
The school cafeteria changed its system.
= The school cafeteria had a change.
（学校の食堂のシステムが変わった。）

キーワードの品詞を変えてパラフレーズする（表現の置き換えによってわかりやすく説明する）テクニックを身につけよう。

Vocabulary
□ **pay raise**：名 昇給

練習問題

次の文の therefore（したがって）の後の結果（行動）に至った理由、状況を導く事由は何だと思いますか。[　]の中に入る言葉をできるだけ多く考えましょう。

1. [　　　　　　　　　　]. **Therefore,** I stayed in the school.
　[　　　　　　　　　　] ので、その学校に留まりました。

例

- いい友達ができた：I got a good friend
- 奨学金がもらえた：I got a scholarship

2. [　　　　　　　　　　　　　　　　　　　　　　　　　].
Therefore, sunlight exposure is vital for them to grow.

＊exposure: さらされること　＊vital: 不可欠な

[　　　　　　　　　　]。よって、植物の成長にとって日光にさらされることは不可欠です。

例

- 多くの植物は光合成の過程を通して栄養を取り入れます：

＊photosynthesis: 光合成

Most plants largely depend on the photosynthesis process to get nutrition

- 植物は日光を得た時だけ成長できます：

Plants can only grow when they get sunshine.

079

昇進するはずだったのに、結局同じ地位にい続けることになりました。

I was supposed to / get promoted, / but I ended up / staying / in the same position.

私は受けるはずだった / 昇進を / しかし、結局〜となった / い続けることに / 同じ地位に

be supposed to [動詞]

[動詞] するはずだ

当初の予定通りにいかない状況、理想や期待と現実が異なっている（かもしれない）時に使う。発音に注意しよう。supposed の語尾の -ed は弱くなり、後ろの to に繋がることで「サポーストゥ」となる。suppose が動詞「思う」の場合は、s が濁り、I suppose「アイ サポーズ」。

end up [動名詞(動詞の-ing形)]

結局 [動詞] することになる

自分の当初の意志とは異なる結果になる時に使う。多くの場合、残念な気持ちを含む。

Vocabulary

- **get promoted**：昇進を受ける
- **position**：名 姿勢、身分、地位、境遇

⑥順序立てて伝える

練習問題

次の日本語の文の意味になるように、英訳しましょう。

1. 昨日は勉強するはずだったのに、結局残業することになってしまいました。
I was supposed to study last night, but ended up working overtime.

2. ハワイに行くはずだったのに、病院に留まることになってしまいました。
I was supposed to go to Hawaii, but ended up staying in a hospital.

3. 私はスピーチをするはずだったのに、あることが起こり、そうしないことになってしまいました。
I was supposed to give a speech, but something came up, and I ended up not doing so.

応用練習

「あー残念」と思った出来事を思い出して、期待していたことと現実に起こったことを入れ、残念な気持ちが伝わる文を作りましょう。

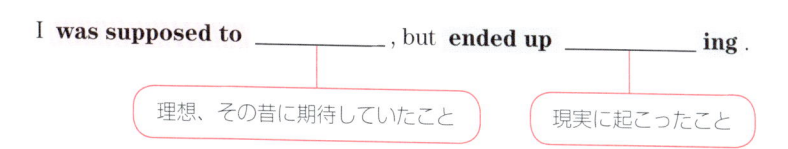

I **was supposed to** _____ , but **ended up** _____ **ing** .

理想、その昔に期待していたこと　　　　　現実に起こったこと

Mastering Process

080

古い建物は保存されるべきだというのは確かにあるが、人々の命の安全を危険にさらすべきではない。

It is true that / old buildings should be preserved, / **but** not **at the cost of** / people's safety.

それは本当だ / 古い建物は保存されるべきだ / しかし / 〜を犠牲にしない / 人々の安全

It is true that 〜, but〜
〜という点は確かにあるが、〜だ

It is true that と来たら、but 以降で筆者が本当に言いたいことが述べられる。反対意見にも一理あるという前置きをしたうえで、自分の主張につなげていく展開だ。こうすることで、賛成意見と反対意見の間でのバランスが取れ、より説得力のある文章に仕上げることができる。

at the cost of 〜
〜を犠牲にして

cost は「費用」に限らず広く時間や人的資源の減少を示し、「犠牲」や「代償」という意味もある。同じくお金の出費を意味する expense で置き換えた at the expense of 〜も同意表現として使える。

POINT TOEFL テストでは、個人と集団のどちらが優先されるべきか、古いものを残すか壊すか、という価値観の対比で答えるタイプのトピックが出題されることもある。

Vocabulary

☐ **preserve**：動 保護する、保存する、維持する。名詞は preservation。

⑥順序立てて伝える

練習問題

次の日本語の文の意味になるように［　］の中に言葉を入れ、英文を完成させましょう。

1. ［伝統的習慣］は守られるべきだというのは確かにあるが、［人々の健康］を危険にさらすべきではない。
   It is true that [traditional customs] should be preserved, **but** not **at the cost of** [people's health].

2. ［文化遺産］は守られるべきだというのは確かにあるが、［経済の発展］を犠牲にすべきではない。
   It is true that [cultural heritage] should be preserved, **but** not **at the cost of** [economic prosperity].

応用練習

あなたが守られるべきだと思う物と、それよりも優先されるべきだと考える物を補って文を完成させましょう。

It is true that ＿＿＿ should be preserved, **but** not **at the cost of** ＿＿＿.

（守られるべきもの）　　　　　　（それよりも優先されるべきもの）

Mastering Process

スピーキング・クリニック②

ここでは、スピーキングセクション、Independent Task の Question 1 を例に「問題に答えてはいるが構文や内容が惜しい解答」と「フレーズをうまく使い、構文や内容が光る解答」を比較します。これまで出てきたフレーズを使って、解答をレベルアップさせるテクニックを自分のものにしてください。

Independent Task の Question 1 の問題です。

> ＊ Some people think all students should learn how to play musical instruments. Others think it should be optional. Which would you prefer and why?
> 人々の中にはすべての学生が楽器の演奏法を学ぶべきだと考える人がいる。一方それは選択であるべきだと考える人もいる。あなたはどちらを好むか、それはなぜか。

実際の試験では準備時間が 15 秒、解答時間は 45 秒です。

まずは、設問には答えているけれど、ほとんど要領を得ないと判断される解答を見てみましょう。

> I think all students should learn how to play musical instruments. Music is very important. Everyone likes to learn how to play musical instruments. It's important for us. I like music very much.
>
> 私はすべての学生は楽器の弾き方を学ぶべきだと思います。音楽はとても大切です。みんな音楽を学ぶことが好きです。それは私達にとって大切です。私は音楽が大好きです。

ここが惜しい！

- 設問をそのまま繰り返すと得点につながらない。
- Music is very important. が何にとって、誰にとって important なのかについての情報がない。
- 主語＋動詞、あるいは主語＋動詞＋目的語の簡単な構文しか使えていない。
- 同じ構文、単語の繰り返しが多い。

本書のキーフレーズを使ってみましょう。

🔊 102

I like the idea of everyone getting some level of music education for the following reasons.

I belong to the jazz club and enjoy playing the saxophone. I think playing music together is a good way to make friends. For example, when I was a freshman in high school, I was involved in the school concert. All members were trying to make the best music. Through that event, we became very close. I feel that making music together helped us interact on a deeper level.

While some people, including me, are not very good at socializing, music can contribute to strengthen our sense of community.

以下の理由から皆が一定のレベルの音楽の教育を受ける考えを好みます。

私はジャズクラブに所属しており、サクソフォンを吹くのを楽しんでいます。一緒に音楽を演奏することは友達を作るのに良い方法だと思います。例えば、私は高校1年生だった時、学校のコンサートに携わりました。メンバー全員が最良の音楽を作ろうと努力していました。そのイベントを通し、私達はとても親密になりました。音楽を一緒に作ることで私達はより深いレベルで触れ合えるようになったと感じています。

私を含め社交的に振る舞うことが得意でない人もいる中で、音楽は私達の共同体意識を強めてくれます。

ほかのキーフレーズを使って、反対の答えを作ることもできます。

I dislike the idea of everyone being forced to learn musical instruments for the following reasons.

I am not very good at playing any kind of musical instruments. I am afraid that learning how to play them can stress me out. Sometimes learning new things requires too much effort, and that could even be a waste of time. I would not like to give up my time doing something that I do not want to do.

Overall, imposing music education on all students does more harm than good, and can be a threat to individuals' freedom.

以下の理由から皆が楽器を学ぶことを強制される考えを好みません。

私は楽器を演奏するのがあまり得意ではありません。それを学ぶことは私を疲れさせるのではないかと心配です。時として、新しいことを学ぶことは多くの努力を必要としますし、それは時間の無駄にすらなりえるのです。やりたくないことをするために自分の時間を諦めることは好きになれません。

概して、すべての学生に音楽教育を課すのは、良い面より悪い面が大きく、個人の自由への脅威となりえます。

　この本で紹介したフレーズの用法を理解し、実際に使う練習をすることで、限られた解答時間内で得点アップにつながる効果的な構文、単語を使えるようになります。使いこなせるようになるまで、ボイスメモなどで何度も録音しながら、自分の解答を確認して繰り返し練習しましょう。

Chapter 7

Integrated Task 攻略フレーズ
Campus Situation

スピーキングセクションの Integrated Task には、アメリカの大学生活に関する告知文や投書文などを読むリーディング、同じテーマのダイアローグを聞くリスニングが出題され、スピーキングで状況の要約を求められる問題があります。本章で、この問題に特化したフレーズをマスターし、よどみないスピーキングで答えられるようにしましょう。

081

> リーディングは、大学が駐車場の料金を値上げすると言っています。

The reading says that / the university is going to / increase parking fees.

リーディングは〜と言う / 大学はする / 駐車料金を増やす

say that 〜
〜と言う

他者が言った情報を伝える時に使える最もシンプルな表現。that の後には［主語］［動詞］がくる。

be going to 〜
〜（これから）する

未来に関することで、すでに決定していること、決まった意志を表す時に使う。不確定な意志や推量に使う助動詞 will との使い分けに関しては、TOEFL テストではあまり重きを置いていない。むしろ、未来に関することには現在形ではなく be going to 〜あるいは will を使い、過去に関することは過去形を使うという基本ルールの方が重要視される。

Vocabulary

☐ **parking**：駐車場。日本語の「パーキング」と同じ意味。車社会のアメリカでは、大学は広大な敷地を持ち、その中にさまざまな施設（体育館、食堂、寮、講堂など）があり、学生は構内を車で移動することもある。

☐ **fee**：料金。→ 38 ページ参照

⑦Integrated Task 攻略フレーズ：Campus Situation

練習問題

次の案内から、いつ起こった（起こる）ことなのか読み取って要約しましょう。

1.

> Announcement from Cafeteria: Change in Operating Hours
> From next month, we will stop serving after 8 p.m.
>
> 食堂からのお知らせ：営業時間の変更
> 来月から、8時以降の営業は止めます。

要約

The reading says that the cafeteria is going to change its operating hours.

リーディングは食堂が営業時間を変更すると言っています。

2.

> Announcement from School Office:
> The fee for the field trip course will be increased next year.
>
> 学校事務からのお知らせ：
> 来年からフィールドトリップ（実地見学）コースの料金が値上げされます。

要約

The reading says that the university is going to increase the fee for the field trip course.

リーディングは大学がフィールドトリップコースの料金を値上げすると言っています。

Mastering Process

082

そうすることで、学校は収入を増やし、同時に環境問題への意識を高めることを狙っている。

By doing so, / the school aims to / increase revenue / and, **at the same time** , / raise awareness of / environmental issues.

そうすることで / 学校は狙っている / 収入を増やすことを / そして同時に / 関心を高める / 環境問題への

by doing so,
そのようにすることで

直前の文で示された動作を受けて、その影響や目的を示すことができる。ややフォーマルだが by so doing という語順でも使われる。

at the same time
同時に

動作や事象が同じタイミングで起こることを示す。at the same time は例文のように挿入して使うことも、文末につけることもできる。

POINT TOEFL テストのキャンパスシチュエーションで現行システムの変更が望まれたり、実施されたりする場合、2 つの目的や利点が示される。

Vocabulary

☐ **aim**：動 狙う。aim to do「[動詞] しようと目指す」は try to do「[動詞] しようと試みる」と同じような用法、ニュアンスで使える。

☐ **revenue**：名 収入、歳入。revenue「収入」から expense「支出」を引いたものが profit「利益」。お金に関する言葉は 38 ページを参照。

⑦Integrated Task 攻略フレーズ：Campus Situation

練習問題

次の文では、203ページの練習問題で出題された変更に関する2つの目的が説明されています。キーフレーズを参考に1文で要約してみましょう。

1.

> We have fewer customers during nighttime. We can provide meals at more affordable prices if fewer employees are on the night shift. Also, some customers order more than they can eat late at night.
>
> 夜間の時間帯にいらっしゃるお客様が少ないのです。夜の時間に働く従業員を減らすことで、より安い価格で食事が提供できます。さらに、お客様の中には夜遅くに食べられる以上の量を注文する方もいます。

要約

By doing so, the cafeteria aims to lower the price of the meals and, at the same time, minimize food waste.

そうすることで、カフェテリアは食事の値段を下げ、同時に食廃棄を少なくすることを狙っています。

2.

> The area is becoming dangerous. Therefore, we decided to hire a travel agency staff member to ensure students' safety. Additionally, we want to visit educational places such as a museum and major factories.
>
> その地域は危険になってきています。そこで、学生の安全を確保するために旅行代理店のスタッフを雇うことにいたしました。さらに、美術館や大きな工場などの教育的な場所へ訪問したいと考えています。

要約

By doing so, the school aims to provide a safer environment and, at the same time, more opportunities for learning.

そうすることで、大学はより安全な環境とより多くの学ぶ機会を提供することを狙っています。

Mastering Process

083

そのパッセージは、大学は学食のプランの変更を考えるべきだと提案しています。

The passage proposes that / the university should consider a change / in its meal plan.

そのパッセージは〜と提案する / 大学は変更を熟考すべき / 食事プランの中で

propose that 〜
〜ということを提案する

同じような使い方ができる動詞に、suggest（提案する）、claim（要求する）などがある。大学の現行システムを批判し代替案を提案する文が、リーディングとして課されることがある。その時には、propose（提案している）という動詞を使って主張を表すと良い。同じような使い方ができる動詞は他に、suggest（提案する）、claim（要求する）などがある。that の後には主語、動詞を伴う文を続ける。

consider a change in 〜
〜での変更を熟考する

「変更する」と言い切らず、「変更を考える」とワンクッション置いた表現にできるフレーズ。柔らかいニュアンスを持つ表現を使えることを示し、スコアアップを目指そう。

Vocabulary

□ **passage**：名 パッセージ、読み物、引用のひとくだり。TOEFL テストの設問で read the following passage（以下に続く文章のひとくだりを読みなさい）という指示はよく使われるので必須単語。

⑦Integrated Task 攻略フレーズ：Campus Situation

練習問題

〈**1**〉次の提案から、何に対する変化を促しているのか読み取って要約しましょう。

> Suggestion to the university security office:
> To bring a sense of security, I think it is better that the school closes the entrance gate at midnight instead of leaving it open all night.
>
> 大学警備部への提案：
> 安心感をもたらすために、学校は、正門を一晩中開けっぱなしではなく深夜12時に閉めるようにした方がいいと思う。

要約

The passage proposes that the university should consider a change in its security policy.
そのパッセージは、大学は警備の方針を変えるべきだと提案しています。

〈**2**〉次の日本語の文の意味になるように［ ］の中に言葉を入れ、英文を完成させましょう。

リーディングは、［大学図書館は貸出期間に関する方針の変更を考えるべきだ］と提案しています。

The reading **proposes that** [the university library should consider a change in its policy about how long students can borrow books].

084

彼は、変更を容認し歓迎しているようだ。

He **seems to** / **accept and welcome** / the change.

彼は〜のようだ / 容認し歓迎する / 変更を

seem to ［動詞］
［動詞］するようだ

動詞を単体で使うのに比べ、seem to [動詞]（[動詞] するように感じられる）、appear to [動詞]（[動詞] するように映る）、sound like [名詞]（[名詞] のように聞こえる）というこちらの感じ方に関する言葉をはさむことで、少しやわらかい印象になる。会話文の内容を 100% 理解したわけではないと、少々不安な場合にも使える便利なフレーズ。実際の彼の気持ちがどうであれ、あなたには彼の言動はそのように感じられた、ということは間違いないのだから、自信を持ってこのフレーズを使ってほしい。

accept and welcome
容認し歓迎する

このように似たような意味を持つ動詞を and でつなげることで段階的な行動を表すことができる。accept は「認める、受け入れる」の意味。名詞は acceptance「容認、受け入れ」。

POINT 多くの場合、リーディングで説明される変更に際し、会話の主導権を握る人物は反対意見を持ち、変更の目的や得られるとされている利点について具体的な事例を挙げて批判することが多い。しかし、ごくまれに賛成したり、良いところと悪いところがあると述べて立場を決めかねたりする場合もある。

練習問題

変更に対する態度には様々な場合があります。次の日本語の文の意味になるように [ ] の中に言葉を入れ、英文を完成させましょう。

1. 賛成の場合：

男子学生は、変更を容認し歓迎しているようだ。

The male student [seems to accept and welcome] the change.

2. 反対の場合1（会話のトーンが残念そう）：

男子学生は、変更に狼狽しがっかりしているようだ。

The male student [seems to be upset and disappointed] by the change.

※動詞 upset はもともと「ひっくり返す」という意味で、様々なマイナスの感情を表すのに使われる。ある出来事が起きたことで天地がひっくり返ってショックで上も下もわからないというイメージの心理状態だが、状況により「残念がる」「怒る」という訳があてられることもある。

3. 反対の場合2（会話のトーンが怒っている）：

男子学生は、変更について立腹して苦々しく思っているようだ。

The male student [seems to be angry and bitter] about the change.

4. 中立の場合：

男子学生は、変更についてある程度理解はしているが、完全に賛成しているわけではないようだ。

The male student [seems to understand but not fully agree] with the change.

085

書き手は現行のカリキュラムにおける2つの問題を指摘する。

The writer **points out** / two issues / with the **current** curriculum.

書き手は指摘する / 2つの問題を / 現行のカリキュラムにおける

point out
指摘する

指で示してはっきりと伝えるイメージで、アカデミックカテゴリーでも使える表現だ。point out that [主語] [動詞]（[主語] が [動詞] することを指摘する）という形も作ることができる。

current
現行の／現在の

これから採用される新しいルールなどに対し、現行のものとの対比や批判を説明することが求められる場合に必須の単語だ。now が副詞で動詞や文全体を修飾する働きをするのに対し、current は形容詞として使われる。

POINT リーディングを要約する際、制度の変更前と変更後の状況について明確な対比が伝わるように説明することで、スコアアップを狙おう。

Vocabulary

☐ **issue**：名 問題。problem の同意語。social issue「社会問題」、community issue「地域の問題」のように使われる。

☐ **curriculum**：名 カリキュラム。教科課程。休日に実施される一部の授業やボランティアなど、単位として数えられない「課外活動」を意味する表現として extracurricular activity がある。

⑦Integrated Task 攻略フレーズ：Campus Situation

練習問題

次の日本語の文の意味になるように [ ] の中に言葉を入れ、英文を完成させましょう。

1. 書き手は [現行のキャンパス内交通システムにおける 2 つの問題を指摘する]。
The writer [points out two issues with the current transportation system on campus].

2. 書き手は [現行の履修授業プロセスにおける 2 つの問題を指摘する]。
The writer [points out two issues with the current class registration process].

3. 書き手は [現行の工事計画には 2 つの問題があると指摘する]。
The writer [points out that there are two issues with the current construction plan].

4. 書き手は [現行の奨学金プログラムには 2 つの問題があると指摘する]。
The writer [points out that there are two issues with the current scholarship program].

Mastering Process

086

その男子学生は、コース設計を変えることは多くの問題を引き起こすのではないかと心配しています。

The male student **is worried that** / changing the course design / may **cause more problems**.

その男子学生は心配している / コース設計を変えること / より多くの問題を引き起こすのではないか

be worried that ~

~と心配する／~を危惧する

否定的な意見を控えめに述べる時に使えるフレーズ。

cause more problems

より多くの問題を（引き）起こす

キャンパスシチュエーションでは、これから生じる、あるいは既に生じた問題を心配する意見が述べられるケースが多い。よく使われる「動詞＋problems（問題）」の組み合わせをまとめて覚えておこう。

・have problems（問題を抱えている）
・cause problems（問題を起こす）
・solve problems（問題を解決する）

Vocabulary

□ **male**：形 男性の⇔形 女性の（female）。類語に masculine（男性的な）、feminine（女性的な）がある。
□ **design**：名 デザイン、設計。英語では模様に限らず人の手によって作られるものの多くを表す言葉として広範囲に使う。

練習問題

次の日本語の文の意味になるように [ ] の中に言葉を入れ、英文を完成させましょう。

1. その男子学生は、[テニスコートを駐車スペースにすること] は多くの問題を引き起こすのではないかと心配しています。
   The male student **is worried that** [turning the tennis court into a parking space] may **cause more problems**.

2. その男子学生は、[フィールドトリップ（実地見学）への参加を卒業要件とすること] は多くの問題を引き起こすのではないかと心配しています。
   The male student **is worried that** [including participation in the field trip as a requirement for graduation] may **cause more problems**.

3. その男子学生は、[食堂で授業をすること] は多くの問題を引き起こすのではないかと心配しています。
   The male student **is worried that** [holding the classes in the cafeteria] may **cause more problems**.

4. その男子学生は [卒業式に両親を呼ぶこと] は多くの問題を引き起こすのではないかと心配しています。
   The male student **is worried that** [inviting his parents to the graduation ceremony] may **cause more problems**.

Mastering Process

087

その女性は、新しい学校の方針が厳しすぎると不満を言っています。

The woman complains that / the new school policy is too strict.

その女性は不満を言っている / 新しい学校の方針が厳しすぎると

complain that ～
～と不満を言う

登場人物が何かに不満があると言っている時は、say（言う）ではなくcomplainを使うことで、内容を正確に理解したことを示すことができる。日本語では「クレームを付ける」という表現があるが、英語のclaimは「（権利や意見を）主張する」の意味で文句を言うことではない。カタカナ語でも、そのまま使える語と、似ているが少し異なるニュアンスを含むものがある。初めて出会う単語は辞書を引くなど気をつけながら、ボキャブラリー力の向上を目指そう。

too［形容詞］
［形容詞］すぎる

度を越していることを示す。強調を示す時にveryと同じようなニュアンスで使える便利なフレーズ。会話文ではThat's too much!（もうたくさんよ！）やShe is too much.（彼女にはもうウンザリ。）とtoo muchの後ろに形容詞も名詞も付かない用法もある。

Vocabulary

☐ **strict**：形 厳しい、厳格な。戒律や規則でしばりつけるイメージ。Life is harsh.（人生は厳しい。）のように状況や環境が過酷であると言う時にはharshを使う。

⑦Integrated Task 攻略フレーズ：Campus Situation

練習問題

次の文の女性は1.～3.について、どのような点で不満だと思いますか。[ ]の中に入る言葉をできるだけ多く考えましょう。

1. 学校の食堂に対する不満

The woman **complains that** the school cafeteria is **too** [　　].

例

・うるさい：loud　・混雑している：crowded
・散らかっている：messy　・高い：expensive

2. 教授に対する不満

The woman **complains that** her professor is **too** [　　].

例

・忙しい：busy　・だらだらしている：lazy
・つまらない：boring　・偏見を持っている：biased

3. 英語の授業に対する不満

The woman **complains that** the English course she is taking is **too** [　　].

例

・大きい：large（人数が多い）
・簡単だ：easy
・（授業時間が）長い：long
・（授業の進行が）ゆっくり：slow

Mastering Process

215

088

彼女曰く、本当の問題は、システムそのものというよりむしろそれが実施される方法にある。

She says that / the real problem is / how it's done rather than / the system itself.

彼女は言う / 本当の問題は〜だ / それがどのように行われるのか / むしろ / そのシステムそのものというより

the real problem is 〜
本当の問題は〜だ

例文のように is の後に疑問詞をつなげるだけでなく、that 節をつなげて the real problem is that [主語][動詞] という形にもできる。反対意見を表明する際、問題の本質が見えていないと指摘することは、自分を相手より一歩上の立場に置くことで意見に説得力を持たせるのに有効だ。他にもさまざまな言い方があるので、右ページの練習問題で自分が使えるフレーズを身に付け、テストでも実生活でも使って難しい局面を切り抜けてほしい。

how it's done
それがどのように行われるのか／そのやり方

動詞の過去分詞は、頭ではわかっていてもなかなか使いこなせない文法事項の1つ。まずは、このように簡単なフレーズで覚えることをおすすめする。

Vocabulary

- **A rather than B**：B というより A だ。分かりやすい対比を示すのに使える。
- **itself**：代 そのもの。この意味を加えることで強調の意味になる。

⑦Integrated Task 攻略フレーズ：Campus Situation

練習問題

〈1〉次の日本語の文の意味になるように［　］の中に言葉を入れ、英文を完成させましょう。

彼は本当の問題は、その［計画］そのものではなく、それが［どのように遂行されるかだ］と言う。　　　　　　　＊遂行する：carry out
He says that **the real problem is** [how it's carried out] rather than [the plan] itself.

〈2〉問題の本質を見るよう促す英語の定番フレーズの使い方を学びましょう。どこから見れば物事の本質に近づけるのか、考えてみてください。次の日本語の文の意味になるように［　］の中に言葉を入れ、英文を完成させましょう。

1. 彼女は、その問題を［もう1つの視点から］見ることを勧める。
   She recommends looking at the problem [from another viewpoint].

2. 彼女は、その記事は近視眼的だと批判し、その問題を［もう1つの観点から］見ることを勧める。
   She complains that the article is shortsighted and recommends looking at the problem [from another perspective].

3. 彼女は、その状況の［より大きな絵（全体像）］を見ることを勧める。
   She recommends looking at [the bigger picture] of the situation.

Mastering Process

089

入学事務局は、入学を考えている学生に向けて、オープンキャンパスイベントを開きます。

The admissions office will host / an open campus event / for prospective students.

入学事務局は中心になって開く / オープンキャンパスイベントを / (その大学への入学の) 見込みがある学生のために

an admissions office
入学(の手続きをする)事務局

入学に際して大きな権限を持っているところ。日本の「AO入試」という言葉のもとになった。

host ~
~を開く

会話文の中で、キャンパスで開かれるイベントが話題になることがある。他の催し物、opening ceremony(開会式)、workshop(ワークショップ)、concert、ball(正式なダンスパーティー)なども一緒に覚えよう。

Vocabulary

☐ **prospective**: 形 見込みのある。まだ正式には決まってはいないが、どうやらそのようになりそうだ、という期待が込められた言葉。

⑦Integrated Task 攻略フレーズ：Campus Situation

練習問題

次の日本語の文の意味になるように［　］の中に言葉を入れ、英文を完成させましょう。大学生活でよく使う言葉を挙げました。知らない単語は覚えましょう。

1. ［学生自治会］は、新入生のために［歓迎会］を開きます。
［The student union］will **host** ［a welcoming party］for freshman students.

2. ［国際入学事務局］は、留学生のために、［図書館のオリエンテーション］を開催します。
［The international admissions office］will **host** ［a library orientation］for students from abroad.

3. ［学生ローンセンター］はすべての学生向けに［奨学金説明会］を開催します。
［The student loan center］will **host** ［a scholarship information meeting］for all students.

応用問題

留学したら参加してみたいイベントについて、主催者、内容、対象を入れた文を作りましょう。

_____ will **host** _____ for _____ .

- 主催者
- 内容
- 対象者

Mastering Process

090

> その女性は、もっと勉強するか、その授業をキャンセルするかを決めなければなりません。

The woman has to decide / whether she should study more / or drop the class.

その女性は決めなければならない / もっと勉強するか / 履修授業をキャンセルするかを

decide whether〜
〜か（どうか）を決める

登場人物が2つの選択肢の間で迷っている時に使える。同義の make up one's mind（心を作る＝決心をする）を使って、She has to make up her mind whether 〜とすることもできる。上の文では choose（選ぶ）も使える。

drop a/the class
履修授業をキャンセルする

a / the class を drop（落とす）とは評価の前に授業を放棄すること。授業に関する事柄で使える他の動詞には、pass a class（授業に受かる＝単位をもらえる）、fail a class（授業に落ちる＝単位がもらえない）などがあるので、一緒に覚えよう。教師や大学側が授業をキャンセルする（休講にする）時は cancel a class で、The class is cancelled. と受け身形が多い。

※アメリカの多くの大学は9月から始まる2学期制。およその流れは以下。

授業登録	履修授業調整期間	レポート
registration	add and drop period	paper(s)

中間テスト	期末レポート	期末テスト	成績確定
mid exam	term paper	final exam	getting a grade

出席（attendance）や授業への参加度（participation）が評価対象になることもある。

練習問題

次の 1. 〜 4. について、選択肢 2 つの間で迷っている人達がいます。[　] の中に言葉を入れ、英文を完成させましょう。

1. vacation plan（休暇の計画）:
   海外に行くか、チューター（家庭教師、塾講師）として働くか
   The woman has to **decide whether** she should [go abroad or work as a tutor].

2. future plan（将来の計画）: 大学院に行くか、職を探すか
   The man has to **decide whether** he should [go to graduate school or find a job].

3. financial problem（お金の問題）: 奨学金に申し込むか、バイトを増やすか
   The woman has to **decide whether** she should [apply for a scholarship or take more part-time jobs].

4. study problem（勉強の問題）: 教授に聞くか、友達に助けを求めるか
   The student has to **decide whether** he should [talk to the professor or ask friends for help].

Mastering Process

スピーキング練習法

スピーキングは、一人では上達を実感しにくい技能です。ここでは、スマートフォンを使ったスピーキング対策をご紹介します。

●ストップウォッチ、タイマー

時計アプリの機能の1つになっていることが多いです。TOEFLテストのスピーキングセクションでは時間が勝負なので、設問を読む時間や、スピーキングタイム前の準備時間を計りながら、本番に近い形式で練習しましょう。制限時間を意識してテスト対策全般で使いましょう。

●ボイスメモ機能（レコーダー）

それぞれのタスクの問題形式に慣れたところで、キーワードのメモ程度を見ながら、ボイスメモなどで自分の解答を録音して聞いてみましょう。自分の声を聞くことに最初は慣れないかもしれませんが、TOEFLテストではその声を採点官が聞くことになるので、聞き手の立場で自分の音声を客観的にジャッジしましょう。同じ言葉を何度も使っている、「I」で始まる文が多い、ある部分ではペースが早いのにある部分では不自然な間がある、などの点をチェックします。単純な文法の間違いなどにも気付くことができます。録音しながら時間も確認できるので、45秒、60秒の感覚を体感する練習にもなります。1つのテーマに対して自分で聞いても恥ずかしくない解答が時間内にできるまで、何度も録音→再生→チェックを繰り返していくボイスメモ練習法をおすすめします。

●ボイス認識機能

自分の英語の発音が正しいのかを確認するには、ボイス認識機能が使えます。ボイス認識機能が使えるものであればなんでもよいのですが、例えば「メモ」を立ち上げて英語発話を認識できるモードにします。そこで英単語を言い、画面上に自分が言った単語がきちんと表示されるか確認してください。例えば、「r」と「l」を含む単語、right（右）／ light（軽い）、work（働く）／ walk（歩く）、fries（揚げる）／ flies（ハエ）などの発音練習をしてみましょう。

次のような英語の早口言葉（tongue twister）を言って、正しい文に変換され認識されるかも試してみましょう。

- She sells seashells by the seashore.（彼女は海岸で貝殻を売る）
- How much wood can a woodchuck chuck if a woodchuck could chuck wood?（もしウッドチャックが木を放り投げられるとしたら、どれくらいの木を投げられるだろう）
  ＊ウッドチャックは米国でよく見られるリス科の動物。

　留学先では、BGM がかかり、ざわめいている飲食店などで、店員さんの言葉が聞き取りづらく、何を言っているのか、何と答えたらいいのかがわからないこともあるでしょう。また、多民族国家のアメリカでは店員さんが英語ネイティブではない場合も多いでしょう。例えば、その場でサンドイッチを作ってくれる店に行った時のこと、最初に Brown wheat? White wheat?（全粒粉のパン？それとも白パン？）と聞かれましたが「ブラーウィー、ワーウィー」と聞こえ、何を聞かれているのか全く分からず困ったことがありました。このように、アメリカで生活する時には、さまざまなアクセントの英語を聞き取らなければいけないシーンに遭遇します。ですから TOEFL テストで聞き取る英語もアメリカ英語の発音のみとは限りません。投稿動画、映画やドラマなどで、さまざまなシーンで話される英語に慣れておきましょう。

Chapter 8

Integrated Task 攻略フレーズ
Academic

スピーキングとライティングセクションの Integrated Task には、アカデミックなテーマについて概論的な英文を読むリーディング、同じテーマの講義を聞くリスニング、学術用語の概念に関する講義を聞くリスニングなどが出題されます。本章で、頻出テーマである産業革命や動物の生態に関する語彙やフレーズを使って、具体例を挙げながら文章を簡潔にまとめられるようにしましょう。

> リーディングによると、産業革命は「18世紀に始まった製品生産方法における大きな変化」と説明することができます。

091
🔊 091

According to the reading, /
the Industrial Revolution **can be
explained** / **as** the great change /
in the method of manufacturing goods /
which began in the 18th century.

リーディングによると／産業革命は説明されることができる／大きな変化として／製品を生産する方法での／18世紀に始まった

according to ～
～によると

according to the reading, ～ と the reading says ～ はほぼ同義で、根拠を示す。

［物・事１］ can be explained as ［物・事２］
［物・事１］は［物・事２］と説明されることができる

［物・事１］にはリーディングに出てくるキーワードを入れる。スピーキング Question 4 の問題では知らない学術用語や研究分野の説明を受けるつもりで、キーワードの細かい意味がわからなくても決して焦らないこと。スピーキングの最終問題は、一般的にはよく知られていない専門的な学説について教授が詳しく説明する形式になっている。教授の捉え方を聞き取り、［物・事１］と［物・事２］に当てはまるキーフレーズを聞き取ろう。

Vocabulary

□ **the Industrial Revolution**：名 産業革命。TOEFL 頻出トピック。
The new standards in manufacturing and the development of steam power accelerated modernization.（新しい製造基準と蒸気動力の発達により近代化が進んだ。）を覚えておこう。

⑧Integrated Task 攻略フレーズ：Academic

練習問題

次の英文を、キーフレーズを使った文に言い換えましょう。

1. The reading says 'manufacturing' is a production system that uses machines to make merchandise.
リーディングによると「製造（業）」は商品を作るために機械を使う生産システムと説明することができます。

According to the reading, manufacturing can be explained as a production system that uses machines to make merchandise.

2. The reading says 'modernization' is the transition from a traditional society to an industrial society. ＊移行：transition
リーディングによると「近代化」は伝統的な社会から産業化した社会への移行だと言っています。

According to the reading, modernization can be explained as the transition from a traditional society to an industrial society.

3. The reading says 'urbanization' is a population increase in cities as a result of workers moving from rural areas.
リーディングによると「都市化」は農村部から労働者が移動した結果起こる都市部での人口増加であると言っています。

According to the reading, urbanization can be explained as a population increase in cities as a result of workers moving from rural areas.

Mastering Process

092

基本的に、その過程には 2 段階あります。

Basically , / there are two stages / in the process.

基本的に、/ 2 段階ある / その過程には

basically
基本的に

「(多少の違いはあるかも知れないが) 基本的なポイントは以下の通りだ」と主張する時の前置きとして使えるフレーズ。

stage(s)
段階

スピーキングの最終問題では、題材としては、受験者にとってなじみのあるトピックが扱われることが多い。日常生活で触れたことがあるものについて、2つの観点から少し詳しい学術的な説明が加えられる。リスニング（レクチャー）で挙げられる2点が stages なのか、types なのか、categories なのか、どうしても分からなければ万能に使える kinds（種類）にしよう。there are two -s と複数形にすることを忘れないこと。

POINT いくつかポイントを言う時には、あらかじめ具体的な数字を出しておくと後が続けやすい。上の文に続く文を作る時には、One is 〜 , and the other is 〜のフレーズ（080 参照）を使うと自然。

Vocabulary

☐ **process**: 名 過程。道のり。日本語の「プロセス」も同じ意味で使われる。

練習問題

次の日本語の文の意味になるように [　] の中に言葉を入れ、英文を完成させましょう。

1. 基本的に、都市の発展には2タイプあります。
　Basically , there are two [types of city development].

2. 基本的に、髪の毛が伸びる循環には2段階あります。
　Basically , there are two [stages in the hair growing cycle].

3. 基本的に、カロリー消費の方法には2カテゴリーあります。
　Basically , there are two [categories in the way of calorie consumption].

4. 基本的に、ウサギには敵から逃げるための2つの戦略があります。
　Basically , there are two [strategies for rabbits to escape from enemies].

5. 基本的に、その問題を直すのに2つ解決策があります。
　Basically , there are two [solutions to fix the issue].

6. 基本的に、私がなぜそう思うのか2つ理由があります。
　Basically , there are two [reasons why I believe so].

093

話し手は、大量生産への傾向を例証するために、印刷機の事例を紹介します。

The speaker introduces / the case of a printing machine / to exemplify / the trend toward mass production.

話し手は紹介する / 印刷機の事例を / 例証するために / 大量生産への傾向を

introduce ～
～を紹介する

人の紹介でよく使われるが、新しい事柄について話す時にも使える表現。

exemplify ～
～を例証する

例を挙げる際、名詞の example（例）やつなぎ語の for example（例えば）を使うことが多いが、-fy を付けて動詞として使うことで文がまとまり、スマートな解答になる。

　The speaker introduces the case of ［みんながわかる例］ to exemplify ［アカデミックキーワード］.
　（スピーカーは［アカデミックキーワード］を説明するために、具体的な［みんながわかる例］を出す。）

exemplify の後ろには、上の文の trend（傾向）の他、theory（仮説）や phenomenon（現象）、symptom（兆候）などがくることもあるので、一緒に覚えておこう。

Vocabulary

☐ **trend**：名 傾向。

⑧Integrated Task 攻略フレーズ：Academic

練習問題

次の［キーワード］と［教授が示した例］を入れ、キーフレーズを使った文を作りましょう。

1. ［キーワード：cultivation theory］（培養理論）
［教授が示した例：teenagers' TV watching behavior］

The professor introduces the case of teenagers' TV watching behavior to exemplify cultivation theory.
教授は培養理論を例証するために、十代の子達のテレビ視聴行動の事例を紹介します。

2. ［キーワード：negative reinforcement］（負の強化）
［教授が示した例：a friend of mine］

The professor introduces the case of his friend to exemplify negative reinforcement.
教授は負の強化を例証するために、友人の事例を紹介します。

3. ［キーワード：implicit expression］（暗示表現）
［教授が示した例：Japanese culture］

The professor introduces the case of Japanese culture to exemplify implicit expression.
教授は暗示表現を例証するために、日本文化の例を紹介します。

Mastering Process

094

🔊 094

蒸気機関車と車が馬にとって代わり、交通網が拡大しました。

Steam engines and cars / replaced horses, / expanding transportation .

蒸気機関車と車が / 馬にとって代わった / 交通網を拡大する

［事・物1］ replace ［事・物2］
［事・物1］が［事・物2］にとって代わる

産業革命により、古いものは新しいものに replace された、という変化を表す時に使えるフレーズ。その変化がもたらす利便性の表現については右ページ参照。特に歴史の中での変化について言及する際には過去形で使われることになるので、A replaced B = B was replace by A のどちらの言い方にも慣れておこう。

expand ~
~を拡大する

円形状に広がっていくのが expand（広がる）、直線状に長くなるのが extend（延びる）。意味もつづりも似ているが、違いを理解して適宜選んで使おう。extend の名詞形 extension（延長）を使い、an extension code と言えば電気の延長コードのこと。線が長くなるイメージが捉えやすいだろう。expansion は expansion of the Roman Empire（ローマ帝国の拡大）、expansion of the universe（宇宙の膨張）といったように、二次元、三次元での広がりをイメージしよう。

Vocabulary

☐ **steam engine**：名 蒸気機関車。train（電車）の他、locomotive（機関車）、railway（鉄道）などの単語も覚えておこう。

⑧Integrated Task 攻略フレーズ：Academic

練習問題

次の３つの言葉を英訳し、正しい語順になるように [ ] に入れ、「BがAにとって代わり、Cを拡大した」という意味になる文にしましょう。

1. ［世界的な情報のやりとり・手紙・Eメール］　　＊やりとり：transaction
[E-mails] **replaced** [letters], **expanding** [worldwide information transaction].
Eメールが手紙にとって代わり、世界的な情報のやり取りが拡大した。

2. ［新型耕運機・農業土地・旧型耕運機］
＊耕運機：cultivator　＊農地：agricultural fields
[The new type of cultivator] **replaced** [the old type], **expanding** [agricultural fields].
新型耕運機が旧型耕運機にとって代わり農地が拡大した。

3. ［織物繊維の選択・紡糸機・手で紡ぐ工程］
＊紡糸機：spinning machine　＊手で紡ぐ：hand-spinning　＊織物繊維：textile
[The spinning machine] **replaced** the [hand-spinning process], **expanding** [the selection of textiles].
紡糸機が手で紡ぐ工程にとって代わり、織物繊維の選択が拡大した。

4. ［お金・物々交換制度・商売全般］　　＊物々交換制度：the barter system
[Money] **replaced** [the barter system], **expanding** [overall business].
お金が物々交換制度にとって代わり、商売全般が拡大した。

Mastering Process

095

タコが体の色を変えるのは、生き延びる確率を上げるためです。

The ultimate purpose / of octopuses / changing their body color / is to **increase their chances of** survival.

究極の目的は / タコの / 体の色を変えることの / 生存の機会を増やすためだ

the ultimate purpose
究極の目的

リスニングで聞き取れた部分から答えを作っていく時に使える言葉。ultimate は「究極」。I want to ～（私は～したい）は my ultimate goal is to ～（私の究極の目標は～することだ）と置き換えることもできる。

My ultimate goal is to become an actress.
（私の究極の目標は女優になることです。）

increase one's chances of ～
～の確率を上げる

the ultimate purpose は to survive だ、としてもよいが、to increase the chances of を付けることで、その行動が直接生存に関わるかどうかについて言及せずに、あらゆる動物の行動を説明する時に使えるフレーズになる。

POINT animal behavior（動物の行動）は TOEFL 頻出トピックの１つ。多くの場合、初めて聞く動物の名前とその特徴的な行動について学術的な言葉を使って説明しなければいけないので戸惑うかもしれない。まずは、あらゆる動物にとって ultimate goal（最も大切な目的）は survive することだと覚えておこう。その中でフレーズ 096、097、098 に示される sub-goals（副目標）がある。具体的な行動パターンは目的や目標を達成するための strategy（戦略）だと大きくとらえると、理解度が増すはずだ。スピーキング、ライティングでは、とにかく何かを言う、書くことで少しずつでも点を取っていこう。

⑧Integrated Task 攻略フレーズ：Academic

練習問題

動物の特徴的な行動を［　］の中に入れ、次の英文を完成させましょう。

1. ヘビが毒を持つのは　　　　　　　　　　　　　　　　＊毒：venom

   The ultimate purpose [of snakes having venom] is to **increase their chances of** survival.

2. ネコが高いところへ登るのは

   The ultimate purpose [for cats climbing up to high places] is to **increase their chances of** survival.

3. 象が長い鼻を持っているのは

   The ultimate purpose [of elephants having long trunks] is to **increase their chances of** survival.

   ＊英語ではnose（鼻）の言い方が形状によりいくつかに分かれている。象の鼻はtrunk、豚・イノシシのような短い鼻はsnoutである。

応用練習

「人間が〜するのは、生存率を上げるためだ。」いう文を作りましょう。

   The ultimate purpose for human beings ＿＿＿＿＿＿＿＿＿＿＿＿ is to **increase their chances of** survival.

例
- 野菜を食べる：eating vegetables
- 寝る：sleeping
- 音楽を奏でる：playing music

Mastering Process

096

ピンクフラミンゴの雄は、雌を魅了し子孫を残すために踊ります。

Male pink flamingos dance / to **attract mates** / to **produce offspring** .

雄のピンクフラミンゴは踊る / 異性を魅了するために / 子孫を作るために

attract mates
(動物が) 異性を魅了する

classmate（クラスメイト）のように、mate は人を表す言葉では「友達」「相棒」という意味だが、動物の場合は「異性、つがいの一方」。mating season（発情期、交尾期）のように動詞「つがう」の意味もある。

produce offspring
子孫を残す

類義に have children（子供を作る）、reproduce（繁殖する）、breed（産む、繁殖させる）、start a new family などがある。「絶滅危惧種」は endangered species。diversity（多様性）を保つため、species preservation（種の保存）あるいは species conservation（種の保護）と表現されることもある。

POINT あらゆる生物の本能として increase the chances of survival（生き延びる確率を上げる）があり、その目的、手段として attract mates to produce offspring（子孫を作るために異性を魅了する）という行動をとると捉えよう。

⑧Integrated Task 攻略フレーズ：Academic

練習問題

「カワセミ」「リス」「カクレクマノミ」は一風変わった異性へのアピール、繁殖行動を取ります。次の 1. ～ 3. の日本語の意味になるように［　］の中に言葉を入れ、英文を完成させましょう。

1. カワセミは求愛給餌をする　　　　　　　　＊カワセミ：kingfishers
　　　　＊従事する・取り組む：engage in　＊求愛給餌：courtship feeding
　[Kingfishers engage in courtship feeding] to **attract mates** to **produce offspring**.

2. リスはエサを貯め込む　　　　　　　　　　＊貯め込み行動：hoarding
　[Squirrels engage in hoarding] to **attract mates** to **produce offspring**.

3. カクレクマノミは性転換する　　　　　　　＊カクレクマノミ：clown fish
　[Clown fish change sex] to **attract mates** to **produce offspring**.

応用練習

「人間が～するのは、異性を魅了し子孫を残すためだ。」という文を作りましょう。

　Human beings ＿＿＿＿＿＿＿＿＿＿＿＿＿ to **attract mates** to **produce offspring**.

例

・プレゼントをあげる：give presents
・クラブに行く：go clubbing
・毎日化粧をする：wear makeup everyday
・ダイエットする：go on a diet

Mastering Process

097

シマウマは捕食者から逃げるべく、群れで行動します。

Zebras move and run **in a herd** / to **escape from** predators.

シマウマは群れで動く / 捕食者から逃げるために

in a herd
群れで

英語には生物の集団を表す言葉がさまざまあるが、牛や豚、馬の群れなどは herd を使う。リスニングで知らない名前の動物が出てきても、群れを示す言葉を知っていれば、どのような動物かのヒントになることがあるので右ページの「練習問題」で覚えよう。

escape from ～
～から逃げる

出会う危険に対してすでに attack（攻撃）されている時には escape from ～（～から逃げる）を使う。常に on alert（警戒している）の状態であれば、avoid（避ける）を使おう。

Vocabulary

☐ **predator**：名 捕食者。ライオンやワニなど、carnivore（肉食）で herbivore（草食動物）を捕らえて食べる側の動物。食べられる側は prey（餌食、獲物）であり、特に群れから離れた easy target（楽な標的）が狙われる。

⑧Integrated Task 攻略フレーズ：Academic

練習問題

動物によって「群れ」を意味する単語は異なります。次の日本語の文の意味になるように [ ] の中に言葉を入れ、英文を完成させましょう。

1. 牛は群れで行動します。
   Cattle move and run in a [herd]. ＊牛・豚・馬などの群れ

2. ライオンは群れで行動します。
   Lions move and run in a [pride]. ＊ライオンなどの群れ

3. 魚は群れで行動します。
   Fish move and swim in a [school]. ＊魚・クジラなどの群れ

4. 鳥は群れで行動します。
   Birds move and fly in a [flock]. ＊鳥・羊・山羊などの群れ

応用練習

「小学生がグループで動くのは〜のためだ。」という文を作りましょう。

　　Elementary school children move **in a group** to ＿＿＿＿＿＿＿＿＿.

例

・連続殺人犯にでくわすことから逃げるため：
　avoid encountering a serial killer
・狙いやすい標的になるのを避けるため：avoid being an easy target
・自動車事故に巻き込まれるのを避けるため：
　avoid getting involved in car accidents
・道に迷わないため：avoid getting lost

Mastering Process

098

危険にさらされると、ワニは身を守るために鋭いアゴを使い敵と戦います。

🔊 98

When in danger, / alligators use their strong jaws / to fight off opponents / and defend themselves.

危険の中では / ワニは強いアゴを使う / 敵と戦うために / 自分達を守るために

fight off opponents
敵と戦う

fight off ~で「~と戦い、撃退する」の意味。攻撃を受け、身を守る時には fight back ~（~に抵抗する）が使える。「闘病する」と言うように、病気に抵抗するという意味合いで、fight back against cancer（ガンと闘う）という表現を使うこともある。

defend [人・物]
[人・物] を守る

名詞はサッカーの「ディフェンス」と同じ defense（防衛）。反義語は offend（攻撃する）で、名詞は「オフェンス」offense（攻撃）。

POINT 最終目標 increase the chances of survival のために、when in danger（危険にさらされた時）に動物がとる行動は2つ、fight（戦う）か escape（逃げる）かだ。右のページのトピックと関連用語を確認して、解答で使えるようにしよう。

Vocabulary

☐ **jaw**：名 あご。顎。上あごと下あごを指す場合には複数形 jaws になる。人食いザメの映画のタイトル『ジョーズ（Jaws）』はサメのアゴを表している。

⑧Integrated Task 攻略フレーズ：Academic

練習問題

次の動物は敵と戦い身を守るために何を使いますか。次の日本語の文の意味になるように［　］の中に言葉を入れ、英文を完成させましょう。

1. 危険にさらされると、ハチは身を守るために［針］を使い敵と戦います。
   When in danger, bees use [their stingers] to **fight off opponents** and **defend** themselves.

2. 危険にさらされると、スカンクは身を守るために［強い匂いの噴射］を使い敵と戦います。
   When in danger, skunks use [their strong-smelling spray] to **fight off opponents** and **defend** themselves.

3. 危険にさらされると、ネコは身を守るために［爪］を使い敵と戦います。
   When in danger, cats use [their claws] to **fight off opponents** and **defend** themselves.

応用練習

「危険にさらされると、人間は身を守るために〜をして敵と戦う。」という文を作りましょう。

　　When in danger, human beings ＿＿＿＿＿＿＿＿＿＿＿＿＿＿ to **fight off opponents** and **defend** themselves.

例

　・空手チョップを使う：use the karate chop
　・警察を呼ぶ：call police
　・警報音を鳴らす：set off an alarm sound

Mastering Process

> 教授は、その証拠はリーディングの中で主張されていることをそのまま支持するものではないと論じています。

099

🔊 99

The professor argues that / the evidence does not / automatically support the claim / made in the reading.

その教授は論じる / その証拠は〜しない / その主張を自動的に支える / リーディングで作られた

argue
主張する／論じる

ある意見に対して、賛否の意見を述べること。名詞は argument。argue for 〜（〜に賛成する）、argue against 〜（〜に反対する）と一緒に覚えよう。

claim
主張／要求

名詞も動詞も同じ形。当然ある権利を主張し、承認を要求するといった意味合いが強い。日本語の「クレーマー」は、英語では complainer（文句を言う人）。

POINT リーディングとリスニングが evidence の解釈をめぐり argue するのは、ライティングセクションの Integrated Task の典型的な展開。基本的な争点は3つあることが多く、それぞれのポイントを明確に説明していくことが必要だ。このフレーズのようにリーディングとリスニングがそれぞれ対立しているという意味の文を、いろいろな構文やボキャブラリーを用いて表現できることが高得点獲得へのカギとなる。右ページの「練習問題」で言い換え力を鍛えよう。

Vocabulary

☐ **evidence**：名 状況証拠。さまざまな解釈の余地がある物質的証拠やデータを指す。

⑧Integrated Task 攻略フレーズ：Academic

練習問題

左ページのフレーズを、次の日本語の文の意味になるように、①〜④の手順で言い換えましょう。

1. 話し手は、その証拠はパッセージの中で作られた主張を自動的に支持するものではないと主張しています。
① 主語を表す言葉をかえる。（教授→話し手）
② 動詞 argue を名詞にかえる。
③ 名詞 claim を動詞にかえる。
④ 反対意見が出ていたところをかえる。（リーディング→パッセージ）

The speaker claims that the evidence does not automatically support the argument made in the passage.

2. 講師は、著者の主張を支持する証拠は何もないと主張しています。
① 主語を表す単語をかえる。
② 否定を表す単語を evidence の前に置き、「ゼロの証拠がある」とする。
③ claim を類語にかえる。
④ 反対意見が出ていたところをかえる。
　（リーディング→著者が提示したポイント）

The lecturer argues that there is no evidence to support the point the author made.

Mastering Process

> 研究室から持ってきた複合物質を夕食の席で調べている時に、アメリカの研究者、コンスタンティン・ファールバーグは、偶然サッカリンを発見しました。

100
🔊100

Examining the compound from the lab / at the dinner table, / an American scientist, Constantine Fahlberg, / **discovered** / saccharine / **by accident** .

英研究室から持ってきた複合物質を調べながら / 夕食の席で / アメリカの研究者、コンスタンティン・ファールバーグは / 発見した / サッカリンを / 偶然

［動詞1の-ing形］〜, ［人］［動詞2］
［人］が［動詞1］をしながら、［動詞2］する

時、理由、条件を表す分詞構文。上の文は、examine している時に discover した、あるいは examine したために discover したと解釈ができる。分詞構文を使って、構文力をアピールしよう。

discover ［物］ by accident
［物］を偶然発見する

「偶然に発明する」は invent ［物］by accident。

※上の文は、研究室での軽い爆発後、空気中に漂っていた甘味料サッカリンの素を手につけたまま帰宅した研究者が、砂糖を使っていないのに料理が甘いことに気付いた、というサッカリン発見の経緯を示している。偶然に発見された物、発明された物は TOEFL テストに度々登場するので、関連トピックをチェックしておこう。

Vocabulary

☐ **compound**：名 複合物。

⑧Integrated Task 攻略フレーズ：Academic

練習問題

「dynamite（ダイナマイト）」「penicillin（ペニシリン）」「velcro（ベルクロ）」は accidental discovery（偶然の発見・発明）の産物です。次の英文の [ ] の中に適した言葉を入れ、英文を完成させましょう。

1. Observ**ing** fungus, a Scottish biologist, Alexander Fleming, **discovered** [penicillin] **by accident**.
   カビ菌を観察している時に、スコットランドの生物学者、アレクサンダー・フレミングは偶然、[ペニシリン] を発見しました。
   ※世界初の抗生物質ペニシリンはカビ菌（fungus）から偶然に発見された。

2. Absorb**ing** nitroglycerin, a Swedish chemist and engineer, Alfred Nobel **invented** [dynamite] **by accident**.
   ニトログリセリンを染み込ませていた時に、スウェーデンの化学者で技術者のアルフレッド・ノーベルは偶然 [ダイナマイト] を発明しました。
   ※ダイナマイトは後のノーベル賞の設立者アルフレッド・ノーベル博士がニトログリセリンという物質を染み込ませることで液体の安定化をはかり、発明された。博士は研究中の事故で弟を亡くしている。

3. While on a hiking trip, a Swiss engineer, Georges de Mestral, **invented** [velcro] **by accident**.
   ハイキングをしている時に、スイスの技術者、ジョルジュ・ド・メストラルは偶然 [ベルクロ（マジックテープ）] を考案しました。
   ※マジックテープ、ベルクロは彼がハイキング後に自分の服についた植物の実（通称ひっつきむし）を剥がそうとしたところから生まれた。

Mastering Process

ライティング・クリニック②

ここでは、ライティングセクションの Independent Task を例に、「問題に答えてはいるが構文や内容が惜しい解答」と「フレーズをうまく使い、構文や内容が光る解答」を比較します。これまで出てきたフレーズを使って、解答をレベルアップさせるテクニックを自分のものにしてください。

Independent Task です。

> * What are the important characteristics of good parents? Use specific reasons and examples to support your answer.
> 「良き親」の重要な特徴は何か。特定の理由と例を挙げ、解答せよ。

実際の試験では30分、300語を目安に解答をタイピングしていきます。

まずは、設問には答えているけれど、ほとんど要点を得ないと判断される1～2点の解答を見てみましょう。

> I think good parents are kind people. Kind parents are good for children because kindness is very important. My parents are very kind. For example, my parents say calmly, "You should do your best. Then, all will be OK." I agree with this statement. If my parents are not kind, I will be sad.
>
> Money is important, too. My school is public, not private. Private school is very expensive. But my family is not rich, so I go to public school because it is cheap. I think good parents are kind and rich people because these characteristics are very important. If all parents are kind and rich, all children are happy.
>
> 私は良い親とは優しい人だと思います。優しい親は子供にとって良いです。なぜなら優しさはとても大切だからです。私の両親はとても優しいです。例えば私の両親は落ち着いて言います。「最善を尽くすべきです。そうすれば、すべてうまくいくでしょう」この発言に賛成です。もし私の親が親切でなければ、私はとても悲しくなります。
>
> お金も大切です。私の学校は公立校です。私立ではありません。私立学校はとても高いです。しかし私の家族はお金持ちではありませんので、私は公立校に行きます。なぜならそれは安いからです。私は良い親とは優しくお金持ちである人々だと思います。なぜならそれら

の特徴はとても大切だからです。もし、すべての親が優しく、お金を持っていたら、すべての子供が幸せです。

ここが惜しい！

- 最初と最後の一文で、主張が変わっている。最初は kind people とし、最後では kind and rich となっており、主張に一貫性がない。
- 両親は kind（優しい）と言いながら、例が優しさを表すものではなく、主張に一貫性がない。
- 最後の一文は論理の展開に無理がある。

本書のキーフレーズを使ってみましょう。

In my opinion, to be supportive both psychologically and financially are important aspects of being good parents.

First, good parents should provide mental support to help children grow. Instead of telling them what to do at each step, good parents let them explore the world as they like but are always there and ready to catch them when they fall. In fact, I was lucky to have such respectable parents. For example, I belong to the kendo club at high school. A year ago, I participated in the tournament, for which everyone except my parents said I had not been ready. Defeated in the first match, I realized that I had not been prepared enough to stand on the big stage and perform my best. My parents encouraged me to keep trying, and I have been putting a lot of effort in practicing my kendo form every morning since then. I am looking forward to having revenge match this year. I appreciate my parents for not discouraging me on the first trial, and for continuing to provide me with mental support to get through the rigorous training.

Second, I believe parents' responsibility includes providing children with financial support as well. Education costs a lot of money. In this sense, my parents are far from ideal. They are not very good at planning ahead and minimizing the risk regarding the economic downturn. They invest most of their money in their business, which led me to give up my dream. Initially, I wanted to go to private school that has an extensive foreign exchange program, but ended up going to public school due to our family's financial status. I still do not like the fact that I am on a scholarship and have to pay back my tuition after graduation. As the saying goes, "Without money, we cannot do anything."

To sum up, willingness and ability to assist children in both mental and economic states should have positive effects on their well-being.

私の意見では、精神的にそして経済的に支えになろうとすることが良い両親であるための重要な側面です。

第1に、良き親は子供の成長を助けるよう精神的な支えを提供するべきです。それぞれの段階で何をするべきか子供に教える代わりに、良い親は彼らの好きなように世界を探検させ、しかしながら子供が転んだ時には受け止められるようにいつもそこにいます。実際、私はそのような尊敬できる親を持って幸運でした。例えば、私は高校での剣道部に所属しています。1年前、私は自分の親を除いた誰もが（私のことを）準備不足だと言ったトーナメントに参加しました。第1試合で負けたとき、私はその大きな舞台に立ち、最善を尽くすことができるほどには準備していなかったと気づきました。両親は私に挑戦し続けなさいと言って励まし、それ以来、毎朝剣道の素振り練習に多くの努力を割いています。今年、リベンジ試合をすることを楽しみにしています。私は親に初挑戦のとき水を差さなかったこと、そして厳しい訓練をやり遂げるための精神的支えを与えてくれ続けたことに感謝しています。

第2に、両親の責任は子供に経済的な支えを与えることを含むと考えます。教育にはお金がかかります。この意味では、私の親は理想とはかけ離れています。彼らは前もって計画し、経済の停滞に関わるリスクを最小限に抑えることがあまり得意ではありません。商売に多くのお金をつぎ込み、それは私に自身の夢をあきらめさせました。本来は、私は海外交換留学が盛んな私立校に行きたかったのですが、家庭の経済状況のせいで公立校に行く結果となりました。私は自分が奨学金をもらっていて卒業後には授業料を返さなくてはならないという事実がいまだに好きではありません。ことわざにある通り、「お金なしでは何もできない」のです。

まとめると、子供を精神的に経済的にも支えたいと思う心と能力が子供の幸福な状態に良い影響を与えるだろうということです。

この本で紹介したフレーズの用法を理解し、実際に使う練習をすることで、限られた解答時間で得点アップにつながる効果的な構文、単語を使えるようになります。使いこなせるようになるまで、繰り返しタイピングでのライティングを練習しましょう。

Chapter 8

📣 フレーズリスト

　本書で取り上げた 100 フレーズのリストです。15 ページの「音声を使った練習」を参照にして、0.1 秒で英語に置き換えられるように練習しましょう。右のページの英文は赤シートで隠して練習することができます。

No.	フレーズの訳
1	私は次のような理由で、料理をすることが好きです。
2	友達を作るには、スポーツをするのがよいと思います。
3	私はその知らせについて喜んでいます。
4	（選択肢が３つある時に）他の２つの選択肢よりも、映画鑑賞が好きです。
5	お金は他の何よりも大切だ、という主張に賛成です。
6	私の意見としては、公平であることが良い指導者であるための大切な性質です。
7	友人は最高の楽しみになりえます。
8	反対する人もいるかもしれませんが、自由が最も大切なものだと信じます。
9	新しいことを学ぶことは、いつも楽しいです。
10	私の最優先事項は、たくさんのお金を稼ぐことです。
11	有機食材を食べるのは、あなたにとっていいことです。
12	きちんとリサイクルをすることは、未来の世代に貢献することです。
13	顧客と話すことで、私はコミュニケーションスキルを伸ばすことができます。

フレーズリスト

- リピート練習：例えば5フレーズ、10フレーズのまとまりで練習しましょう。音声はCD-ROMの［repeat］フォルダに収録されています。
- リスニング練習：フレーズを聞き返し、定着の助けにしましょう。音声はCD-ROMの［listening］フォルダに収録されています。

フレーズ
I like cooking for the following reasons.
I think playing sports is a good way to make friends.
I am happy about the news.
I prefer seeing movies over the other two choices.
I agree with the statement that money is more important than anything else.
In my opinion, fairness is the most important characteristic for a good leader.
Friends can be the best form of entertainment.
Though some people may disagree, I believe freedom is the most important thing.
I always enjoy learning new things.
My first priority is earning a lot of money.
It is good for you to eat organic food.
Recycling properly contributes to future generations.
Talking to customers improves my communication skills.

No.	フレーズの訳
14	その教授は、私の潜在能力を最大限まで伸ばしてくれます。
15	夫（妻）は、私を精神的に支えてくれます。
16	オンラインで買うことで、お金が節約できます。
17	私にとっては、公共交通機関を使うことは、車を所有するよりずっと安くつきます。
18	Eメールを送ることは、お金の面でも、時間の面でも、効率が良いです。
19	マラソンは免疫系を高めます。
20	1人で働くと、時間の節約になります。
21	職場にいると、自分の仕事に集中できます。
22	勤勉は、金銭的な成功へのカギです。
23	一人旅をすると、現地の人々と時間の制約なく関われます。
24	水族館では、リラックスすることができます。
25	（選択肢が2つある時に）彼のレポートはテーマを変えた方が、やりやすそうです。
26	先述の選択肢の方が、その学生にとって簡単なはずです。
27	何と言っても（それは）タダというところがいいです。
28	隣人に、ずっと強気を保ってがんばれと励まされます。
29	新しいシステムは、近隣住民により安全な環境を作ることができます。
30	時々ジョギングをすることは、健康を維持する一助になります。
31	もう1つの選択肢が、私にとって都合がいいかは分かりません。

フレーズ

The professor helps me to maximize my potential.

My spouse provides me with mental support.

I can save money by shopping online.

For me, taking public transportation is much cheaper than owning a car.

Sending e-mails is cost-effective and time-efficient.

Running marathons can strengthen our immune system.

I can save time if I work alone.

I can concentrate on my work, when I am at the office.

Hard work is the key to financial success.

Traveling alone allows me to interact with local people with no time constraints.

I can feel relaxed at the aquarium.

Changing the theme of his paper sounds more practical.

The former option should be easier for the student.

The best part is it is free.

My neighbors encourage me to keep trying to stay tough.

The new system can make a safer environment for the neighboring residents.

Jogging once in a while helps me maintain my health.

I am not sure if the other choice works for me.

No.	フレーズの訳
32	ノートパソコンがないと、何もできません。
33	ことわざにあるように、「お金ですべてを買うことはできません」。
34	友達をだますなんて、想像もできません。
35	劇場に行くと、たくさんお金がかかるので、好きではありません。
36	最高級エリアに住むためには、狭くなるのは仕方がありません。
37	自分の計画を邪魔されるのは大嫌いです。
38	最も懸念しているのは、スーパーマーケットの建設が地域経済に悪影響を及ぼすことです。
39	ルームメイトと住むと、精神的に疲れるのではないかと心配です。
40	全体の不利益の方が利益よりも大きいです。
41	システムをアップグレードすれば、サイバー攻撃のリスクは最小限で済みます。
42	検閲は、表現の自由に対する脅威となりえます。
43	多くの人の前でプレゼンすることは、あまり得意ではありません。
44	議長と委員会を説得しようとするなんて、時間の無駄です。
45	その海外実地見学は、(コースを受ける) 学生にとってつらすぎます。
46	過度な量の二酸化炭素は、我々の環境を破壊します。
47	急激な変化は、共同体意識を駄目にするでしょう。
48	志望動機書の仕上がりが悪ければ、出願手続きが駄目になったり遅れたりすることもあります。

フレーズ

Without my laptop, I cannot do anything.

As the proverb goes, "Money cannot buy everything."

I cannot even imagine deceiving a friend.

Going to the theater costs a lot of money so I would not like it.

To live in a high-end area, I have to give up space.

I hate it when my plans get disturbed.

My biggest concern is that construction of the supermarket will affect the local economy.

I am afraid that living with a roommate would stress me out.

The overall disadvantages outweigh the advantages.

Upgrading the system will minimize the risk of cyberattack.

Censorship could be a threat to freedom of expression.

I am not very good at giving a presentation in front of a large audience.

Trying to convince the chairperson and the committee will be a waste of time.

The overseas field trip requires students to put too much effort into the course.

The excessive amount of carbon dioxide damages our environment.

The radical change will spoil a sense of community.

A poorly written statement of purpose can jeopardize and delay your application process.

No.	フレーズの訳
49	どんなに注意をしていても、インターネットは幼児にとって悪影響の方が大きいです。
50	その仕事を終わらせるには、我が社には資源が足りません。
51	私の上司は毎朝、部下全員に営業目標を大きな声で言わせます。
52	同僚の1人が監督官に見方を変えることを提案します。
53	私の職務には、人事部のマネージャーとして株主に対する年間管理報告書を作ることが含まれます。
54	1年生だった時、学校のイベントに携わりました。
55	例えば、私は大学で剣道部に入っています。
56	3年前、大きな大会に参加しました。
57	その時から、毎日欠かさず剣道を練習しています。
58	かつては朝型でしたが、今は夜型です。
59	経済の点で、世界はグローバル化が進んでいます。
60	日本は漢字と平仮名を使うので、独特な国です。
61	その状況であれば、彼にキャンパス内に住むことを薦めます。
62	もし彼の立場だったら、オフィスアワーの時間内に教授と話します。
63	できることなら、戻って、もう一度あの美術館を訪ねることができたらなあ。

フレーズ

Even with caution, the Internet does more harm than good to toddlers.

My company's resources are not enough to complete the task.

Every morning, my boss has all of his team members state the sales goals out loud.

One of my colleagues suggests that our supervisor change his viewpoint.

As a manager of the human resources department, my responsibilities include making an annual management report to shareholders.

When I was a freshman, I got involved in school events.

For example, I belong to the kendo club at college.

Three years ago, I participated in a big tournament.

Since then, I have been practicing kendo every day.

I used to be an early bird, but now I'm more of a night owl.

The world is becoming more globalized in terms of the economy.

Japan is a unique country because it uses an original syllabary along with Chinese characters.

Given the situation, I would recommend that he live on campus.

If I were in his position, I would talk to the professor during his office hours.

I wish I could go back and visit the museum again.

No.	フレーズの訳
64	もっと故郷に帰って家族に会いたいと願っています。
65	この点は、その場合においては特に当てはまると信じています。
66	新しい教授陣と一緒に働くのを楽しみにしています。
67	長期的には、今年選択科目をたくさん取ることは、彼にとって良いことでしょう。
68	教育への投資は、経済成長につながる可能性が高いです。
69	こんないい友達がいて、自分は幸せだと感じます。
70	以上の理由から、私は自身の意見を強く主張します。
71	第1に、学校に歩いて行くことは私の健康に良いです。 第2に、それは家計にも良いです。 第3に、環境に良いです。
72	まず、携帯電話を使うことは私にとって有益です。インターネット機能を使い、いつでもどこでも必要な時に具体的な情報を得ることができるからです。
73	加えて、いつでもどこでも必要な時に連絡が取れるので、携帯電話を使うことは家族にとっても良いことです。
74	一方、携帯電話がなければ、情報を共有することは非常に難しいです。
75	最後に、非常時においては必要な情報を共有することができるので、携帯電話を使うことは共同体全体にとって良いです。
76	まとめると、この小さな手のひらサイズの装置は、私達の生活の多くの場面において、大きな貢献をしてきているのです。

フレーズ

I hope to have more opportunities to go back to my hometown and see my family.

I believe this point is true especially in that situation.

I look forward to working with new faculty members.

Taking many elective subjects this year will be good for him in the long run.

Investing in education is likely to lead to economic growth.

I feel lucky to have such a good friend.

For the above reasons, I strongly stand by my opinion.

First, walking to school is good for my health.
Second, it is good for my family budget.
Third, it is good for the environment.

To begin with, using a cellphone is beneficial for me, as its Internet function allows me to get specific information when and where I need it.

Additionally, using cellphones is good for my family, as we can communicate with each other when and where we need to.

On the other hand, without cellphones, sharing information is extremely difficult.

Lastly, using cellphones is good for the overall community, as we can share vital information in case of emergency.

To sum up, the small handheld device has been making a huge contribution to many aspects of our lives.

No.	フレーズの訳
77	リーディングは、猫は気を引こうとして鳴くと主張しています。しかし、話し手は異なる解釈をします。
78	昇給を受けたので、その会社に残りました。
79	昇進するはずだったのに、結局同じ地位にい続けることになりました。
80	古い建物は保存されるべきだというのは確かにあるが、人々の命の安全を危険にさらすべきではない。
81	リーディングは、大学が駐車場の料金を値上げすると言っています。
82	そうすることで、学校は収入を増やし、同時に環境問題への意識を高めることを狙っている。
83	そのパッセージは、大学は学食のプランの変更を考えるべきだと提案しています。
84	彼は、変更を容認し歓迎しているようだ。
85	書き手は現行のカリキュラムにおける2つの問題を指摘する。
86	その男子学生は、コース設計を変えることは多くの問題を引き起こすのではないかと心配しています。
87	その女性は、新しい学校の方針が厳しすぎると不満を言っています。
88	彼女曰く、本当の問題は、システムそのものというよりむしろそれが実施される方法にある。
89	入学事務局は、入学を考えている学生に向けて、オープンキャンパスイベントを開きます。
90	その女性は、もっと勉強するか、その授業をキャンセルするかを決めなければなりません。

フレーズ

The reading claims that cats cry seeking attention. However, the speaker has a different interpretation.

I got a pay raise; therefore, I stayed with the company.

I was supposed to get promoted, but I ended up staying in the same position.

It is true that old buildings should be preserved, but not at the cost of people's safety.

The reading says that the university is going to increase parking fees.

By doing so, the school aims to increase revenue and, at the same time, raise awareness of environmental issues.

The passage proposes that the university should consider a change in its meal plan.

He seems to accept and welcome the change.

The writer points out two issues with the current curriculum.

The male student is worried that changing the course design may cause more problems.

The woman complains that the new school policy is too strict.

She says that the real problem is how it's done rather than the system itself.

The admissions office will host an open campus event for prospective students.

The woman has to decide whether she should study more or drop the class.

No.	フレーズの訳
91	リーディングによると、産業革命は「18世紀に始まった製品生産方法における大きな変化」と説明することができます。
92	基本的に、その過程には2段階あります。
93	話し手は、大量生産への傾向を例証するために、印刷機の事例を紹介します。
94	蒸気機関車と車が馬にとって代わり、交通網が拡大しました。
95	タコが体の色を変えるのは、生き延びる確率を上げるためです。
96	ピンクフラミンゴの雄は、雌を魅了し子孫を残すために踊ります。
97	シマウマは捕食者から逃げるべく、群れで行動します。
98	危険にさらされると、ワニは身を守るために鋭いアゴを使い敵と戦います。
99	教授は、その証拠はリーディングの中で主張されていることをそのまま支持するものではないと論じています。
100	研究室から持ってきた複合物質を夕食の席で調べている時に、アメリカの研究者、コンスタンティン・ファールバーグは、偶然サッカリンを発見しました。

フレーズ

According to the reading, the Industrial Revolution can be explained as the great change in the method of manufacturing goods which began in the 18th century.

Basically, there are two stages in the process.

The speaker introduces the case of a printing machine to exemplify the trend toward mass production.

Steam engines and cars replaced horses, expanding transportation.

The ultimate purpose of octopuses changing their body color is to increase their chances of survival.

Male pink flamingos dance to attract mates to produce offspring.

Zebras move and run in a herd to escape from predators.

When in danger, alligators use their strong jaws to fight off opponents and defend themselves.

The professor argues that the evidence does not automatically support the claim made in the reading.

Examining the compound from the lab at the dinner table, an American scientist, Constantine Fahlberg, discovered saccharine by accident.

[著者紹介]

鈴木 瑛子 (すずき ようこ)

国立大学法人 東京海洋大学 特任准教授。広島女学院中学高等学校出身。AFS交換留学中に米国で公立高校を卒業。早稲田大学法学部卒業後、大手玩具メーカーにて企画開発を担当し、ヨーロッパやアジアを拠点とするライセンサーやサプライヤーとの折衝を進める。翻訳家を経て、ジョンズホプキンス大学(Johns Hopkins University)大学院に留学。コミュニケーション専攻、修士号(M.A.)を取得。現在は、東京海洋大学にて、TOEIC L&Rを中心とした英語資格試験関連教育プログラムの管理運営を行っている。著書に『論理的に話す・書くための英語変換術』(三修社)、共著に『TOEFL ITP®テスト完全制覇』(ジャパンタイムズ)、『TEAP全パート徹底トレーニング』(三修社)がある。英検1級、TOEIC L&R 990点。

校閲：Richard Paulson、Cameron High、小倉雅明
編集・本文デザイン・DTP：有限会社ギルド
校正：青山薫
装丁：高橋明香（おかっぱ製作所）
録音・編集：株式会社ルーキー
ナレーター：Carolyn Miller、中村純子

スピーキング・ライティング攻略のための
TOEFL iBT® テスト必修フレーズ100

発行：2016年 3月30日　第1版第1刷
　　　2020年 4月30日　第1版第5刷

著者　　　：鈴木瑛子
発行者　　：山内哲夫
企画・編集：トフルゼミナール英語教育研究所
発行所　　：テイエス企画株式会社
　　　　　　〒169-0075
　　　　　　東京都新宿区高田馬場1-30-5 千寿ビル6F
　　　　　　TEL　(03) 3207-7590
　　　　　　E-mail　books@tsnet.co.jp
　　　　　　URL　https://www.tofl.jp/books
印刷・製本：日経印刷株式会社

©Yoko Suzuki, 2016
ISBN978-4-88784-177-2　Printed in Japan
乱丁・落丁は弊社にてお取り替えいたします。